U0127244

鄧石如書法集

上

（清）鄧石如 書

教育科学出版社
·北京·

目録

鄧石如書法集

仿李陽冰篆書 一

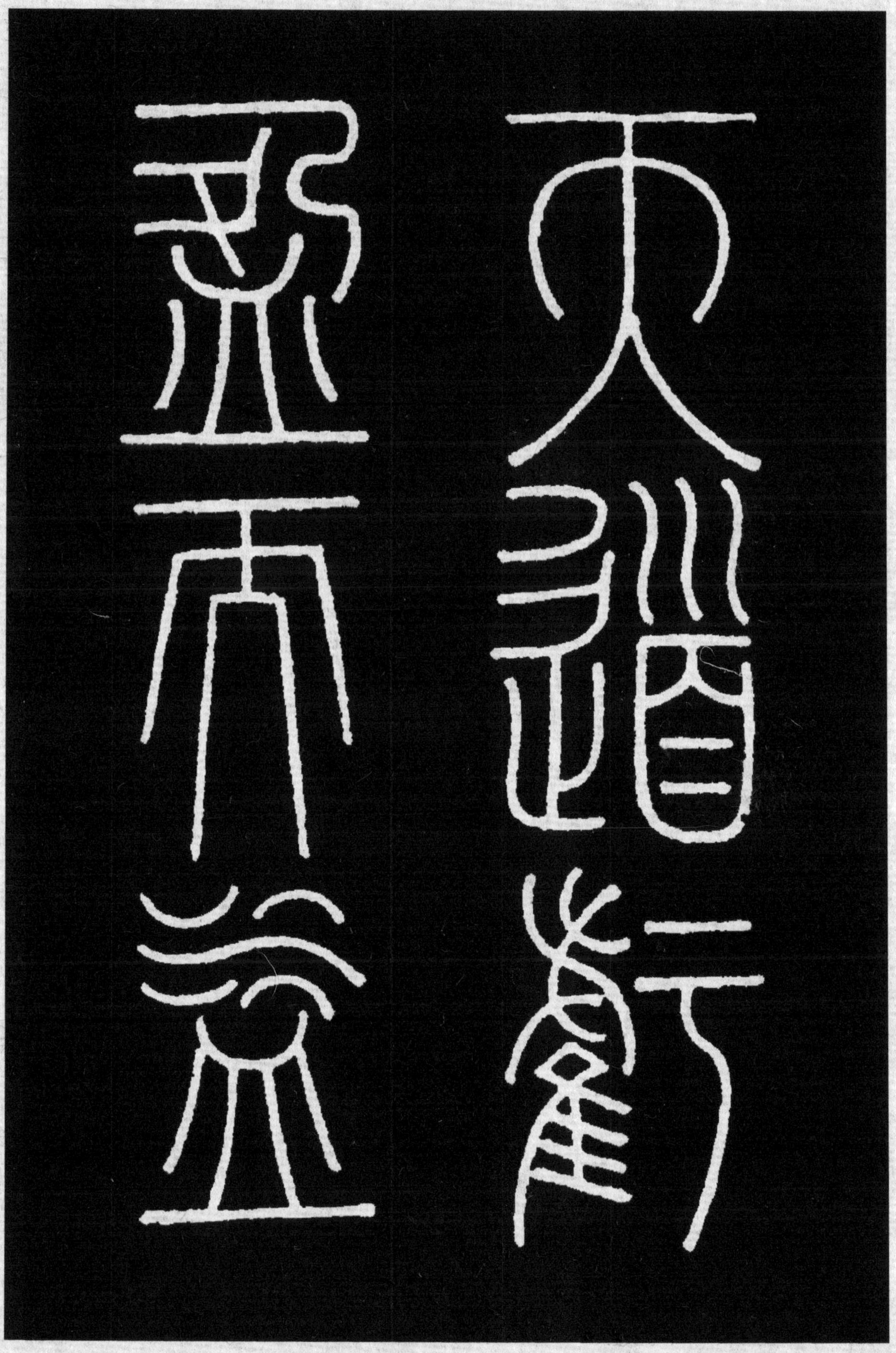

仿李陽冰篆書 二

古本尚書某書

古本尚書某書

一

仿李陽冰篆書　三

仿李陽冰篆書　四

兔計四贊凥

兔計四贊凥

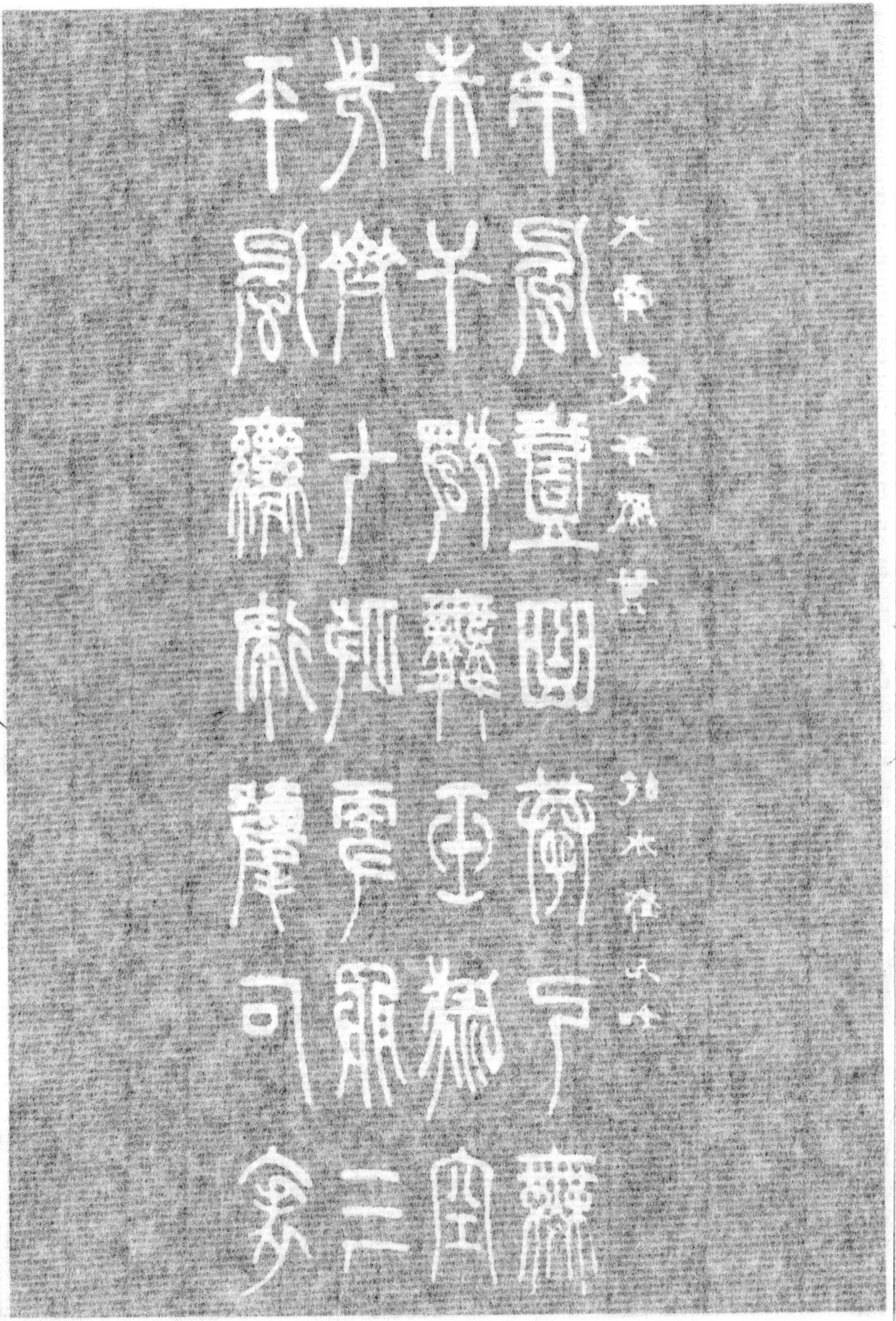

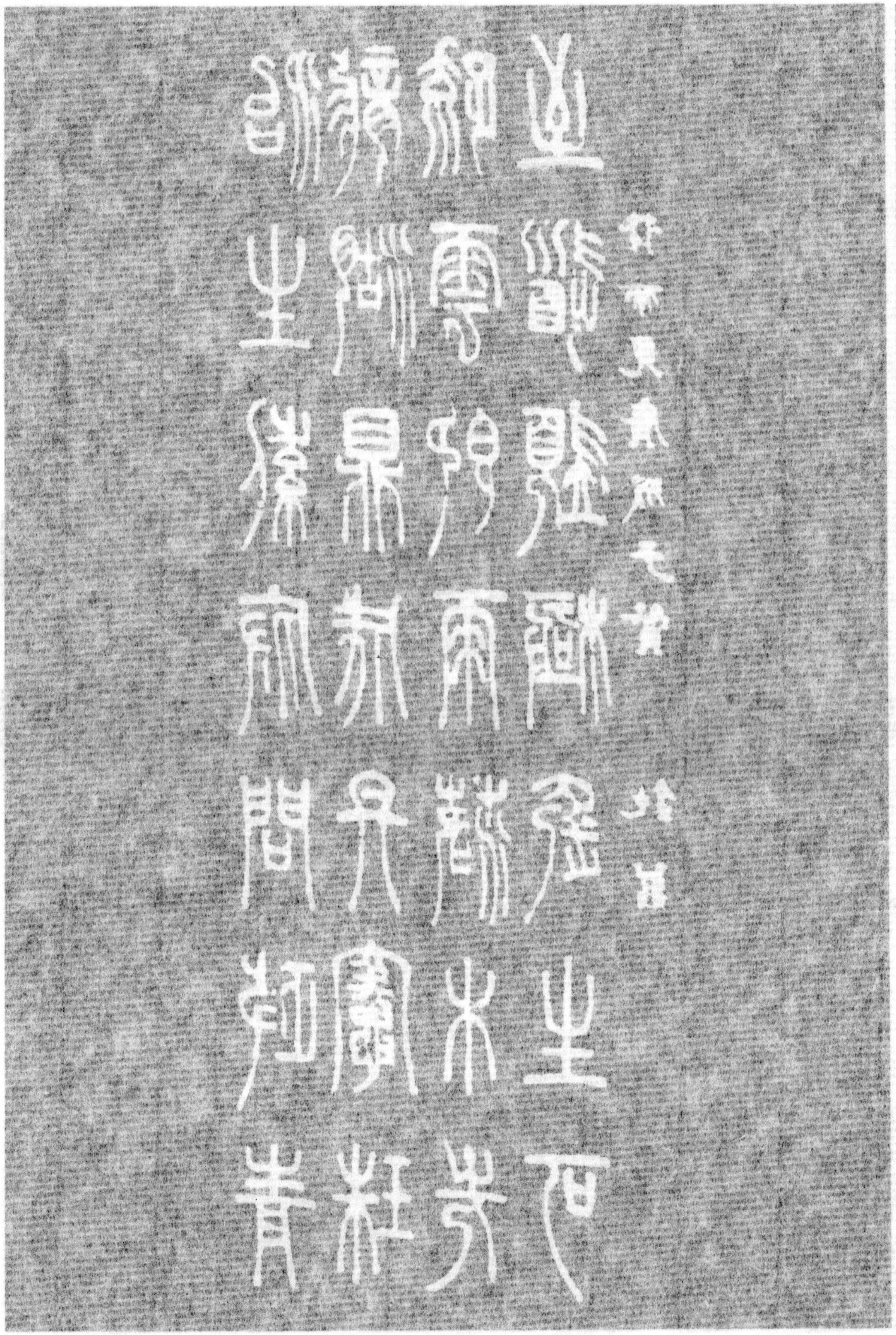

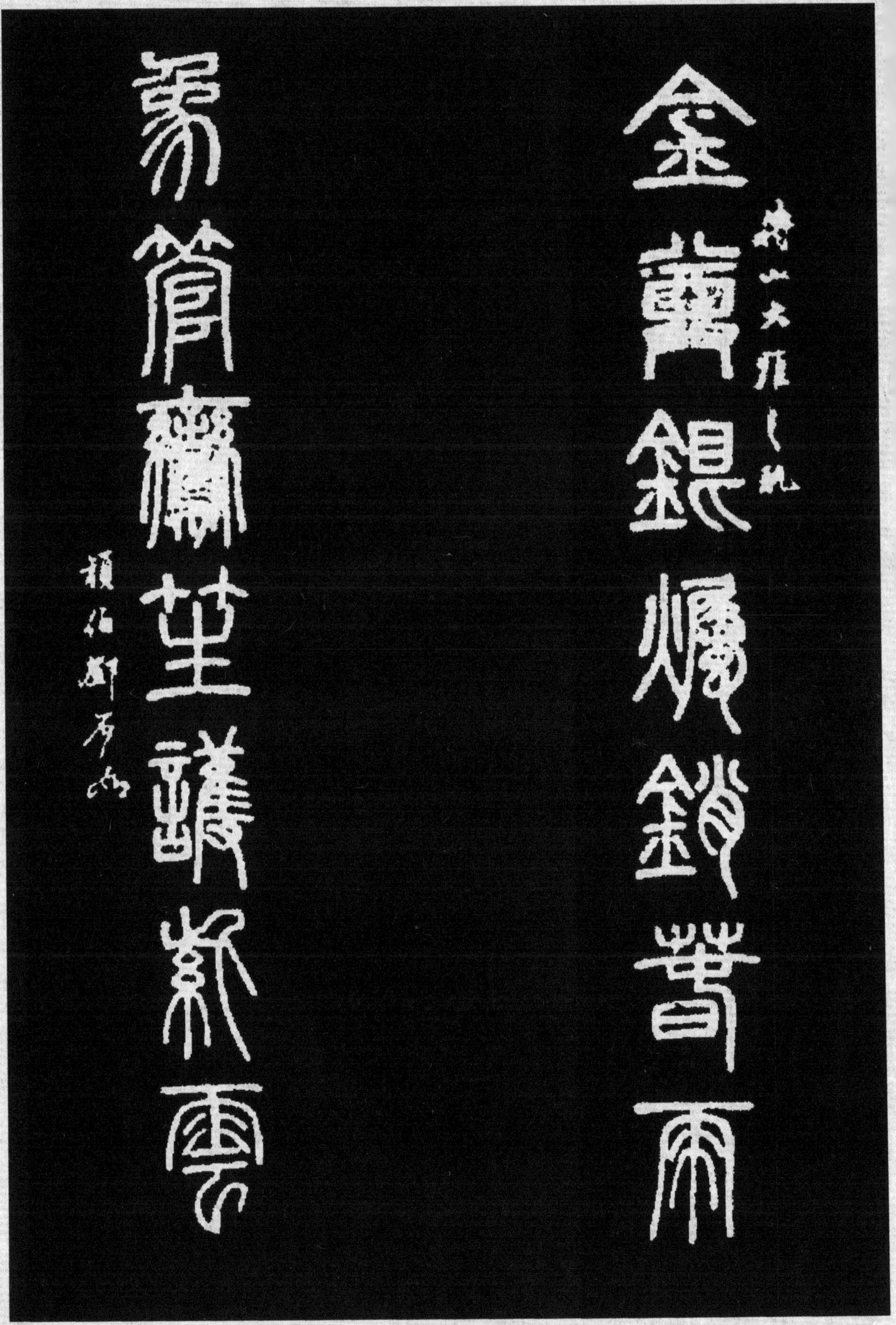

鄧石如書法集

贈傅山七言聯　七

白氏草堂記　八

白氏草堂記　八

贈偉山七言聯　七

燦 枱 夾

布 馬 闌

古

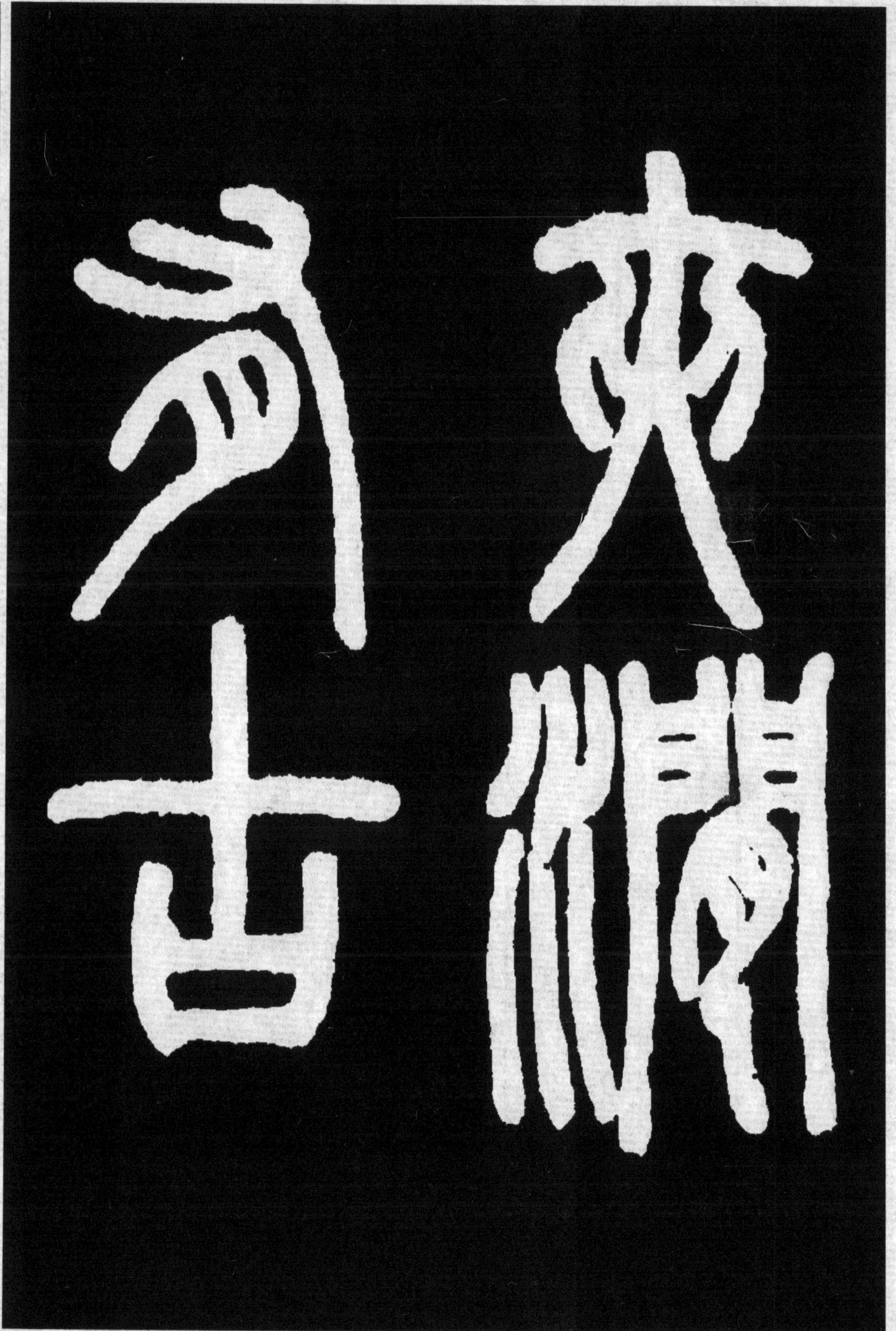

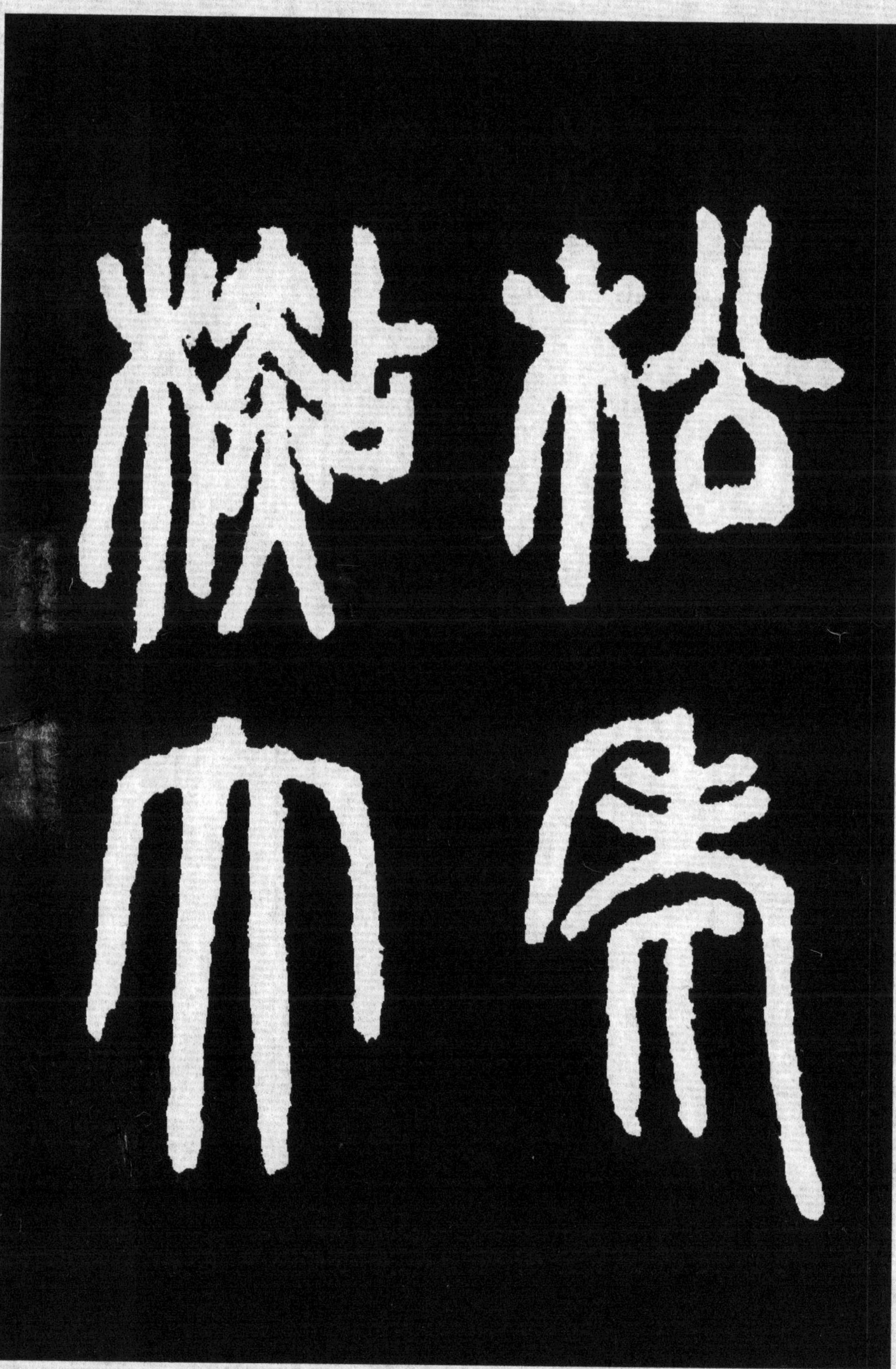

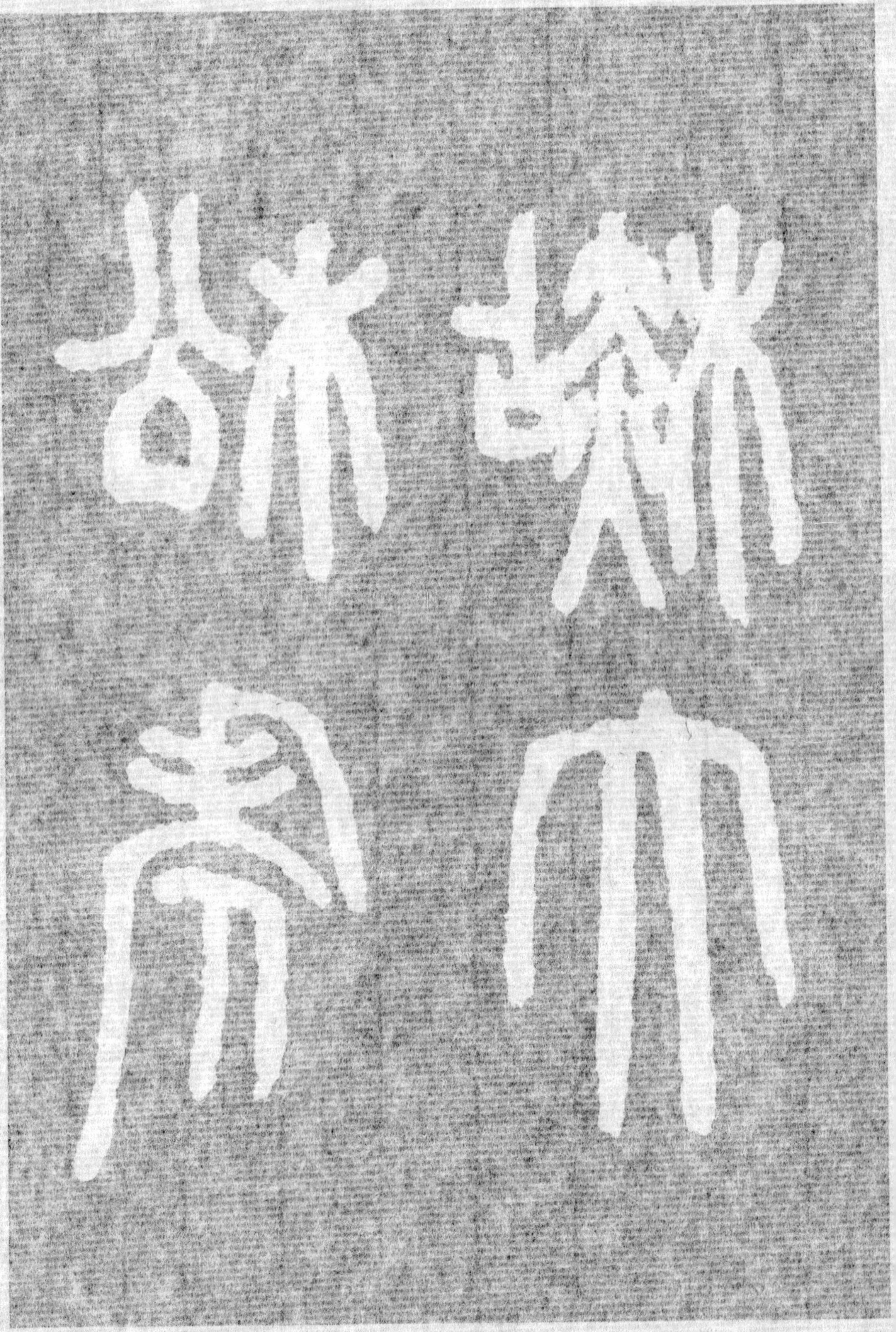

鄧石如書法集

白氏草堂記 一〇

白氏草堂記 九

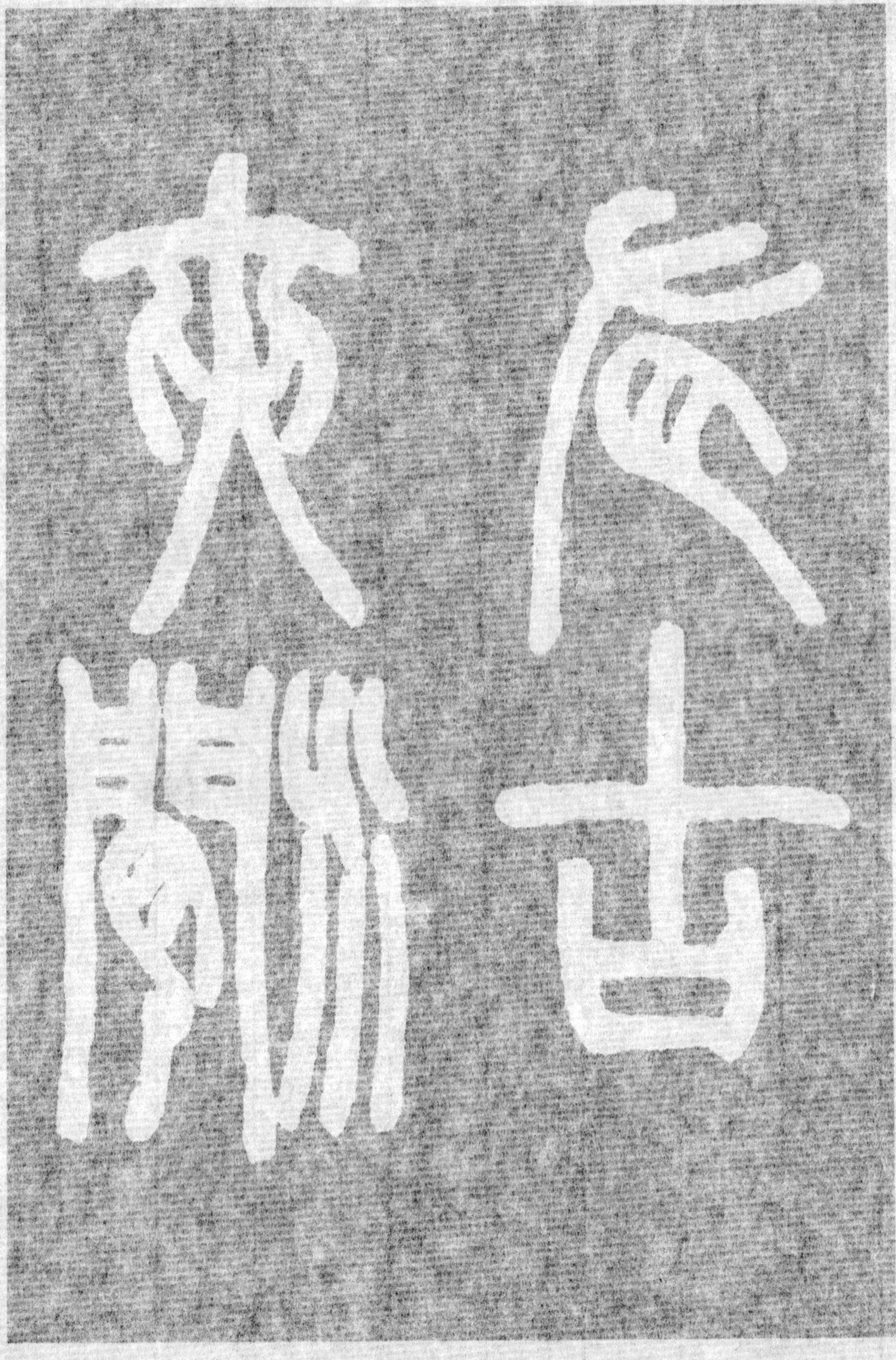

僅十
人圍

高不
知幾

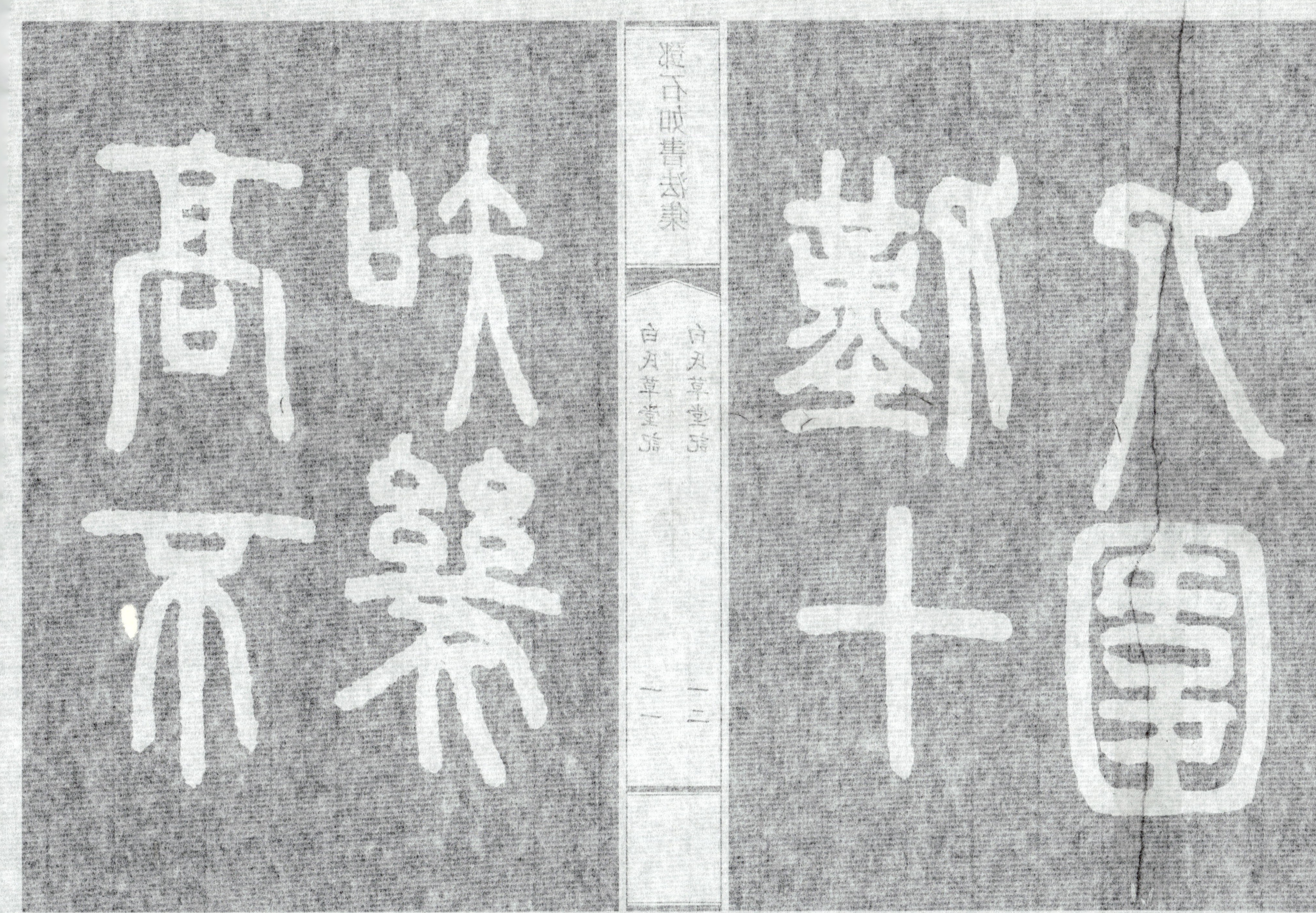

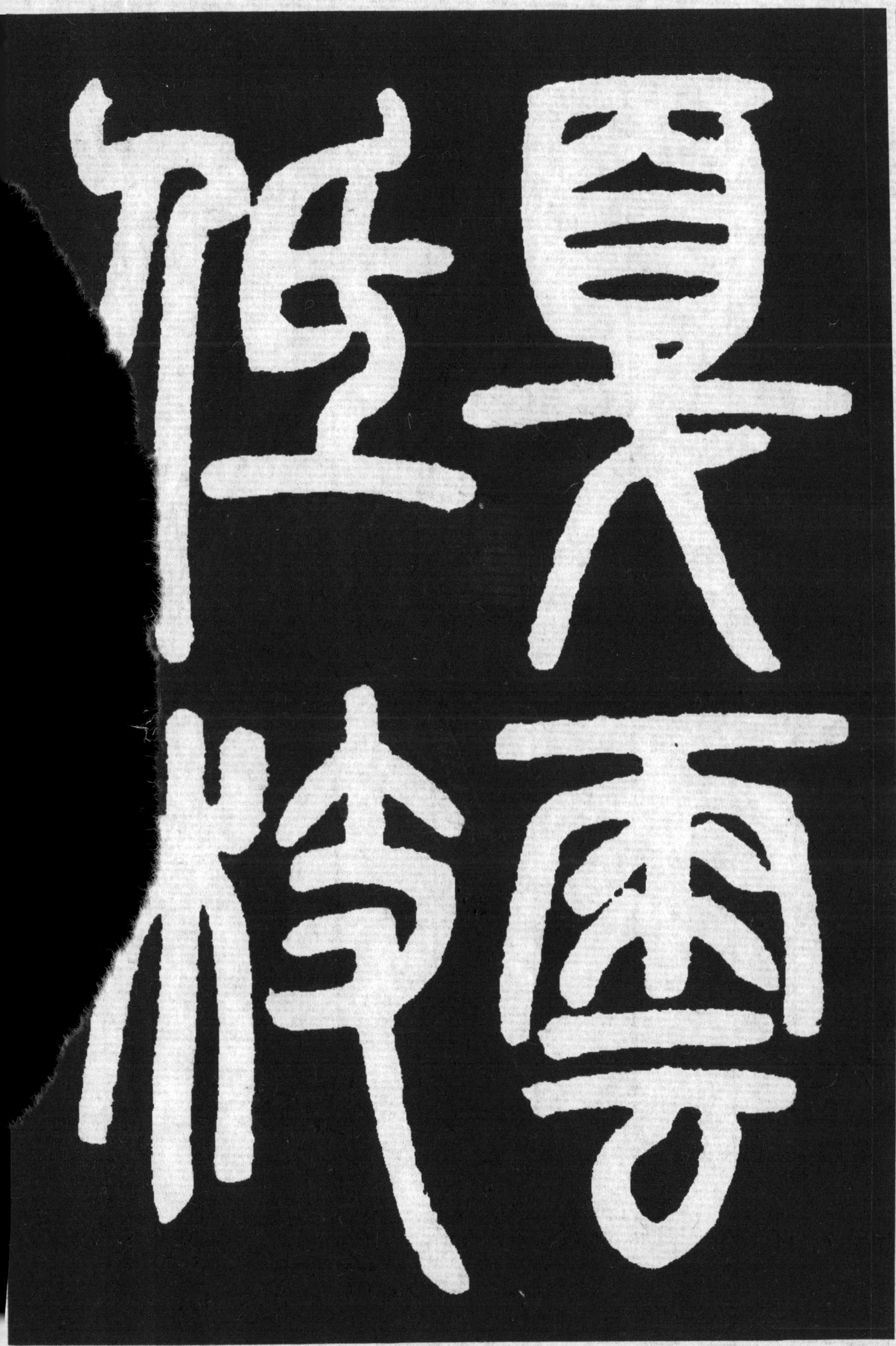

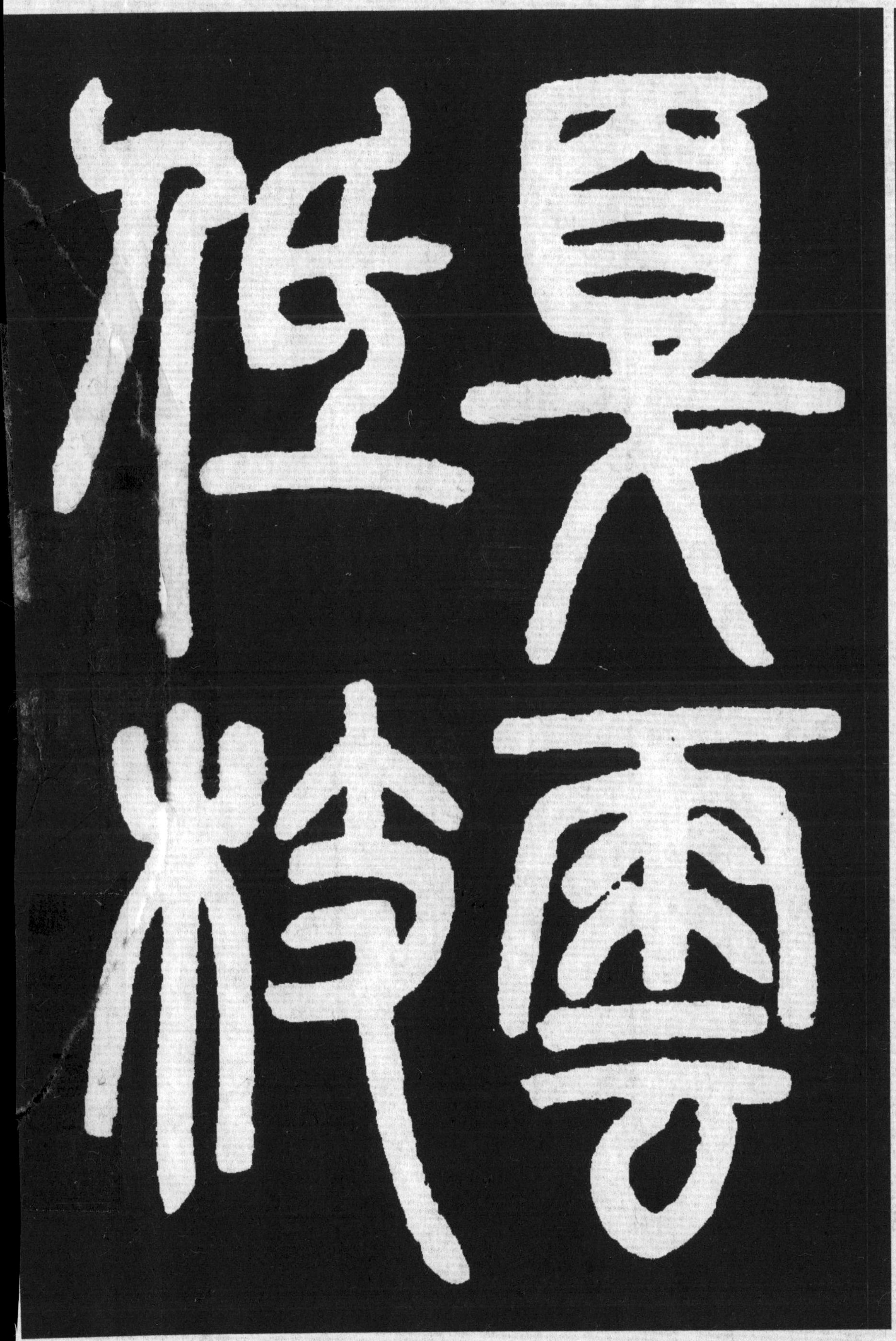

趙之謙書法集

白文草堂印

白文草堂印

一八

一九

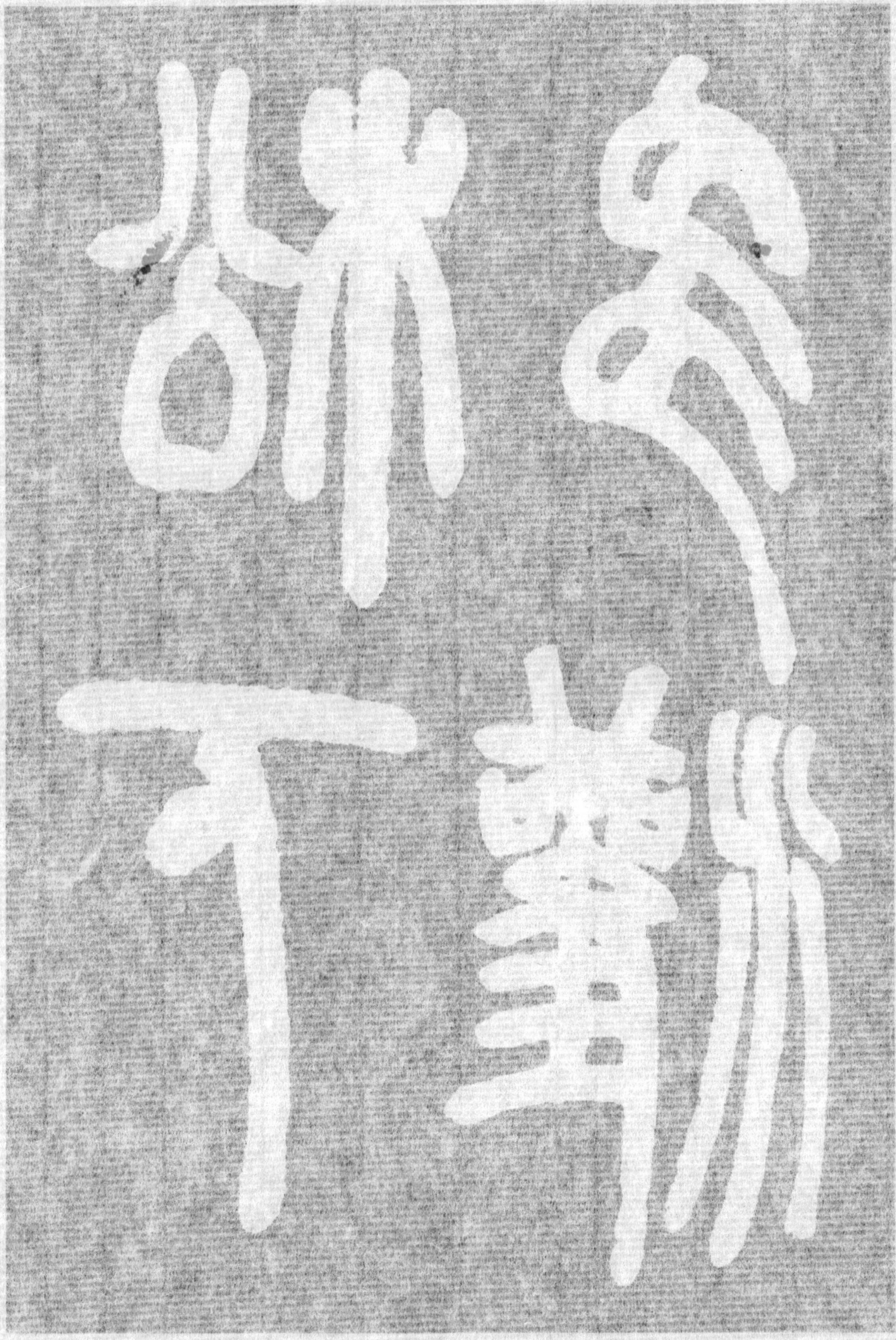

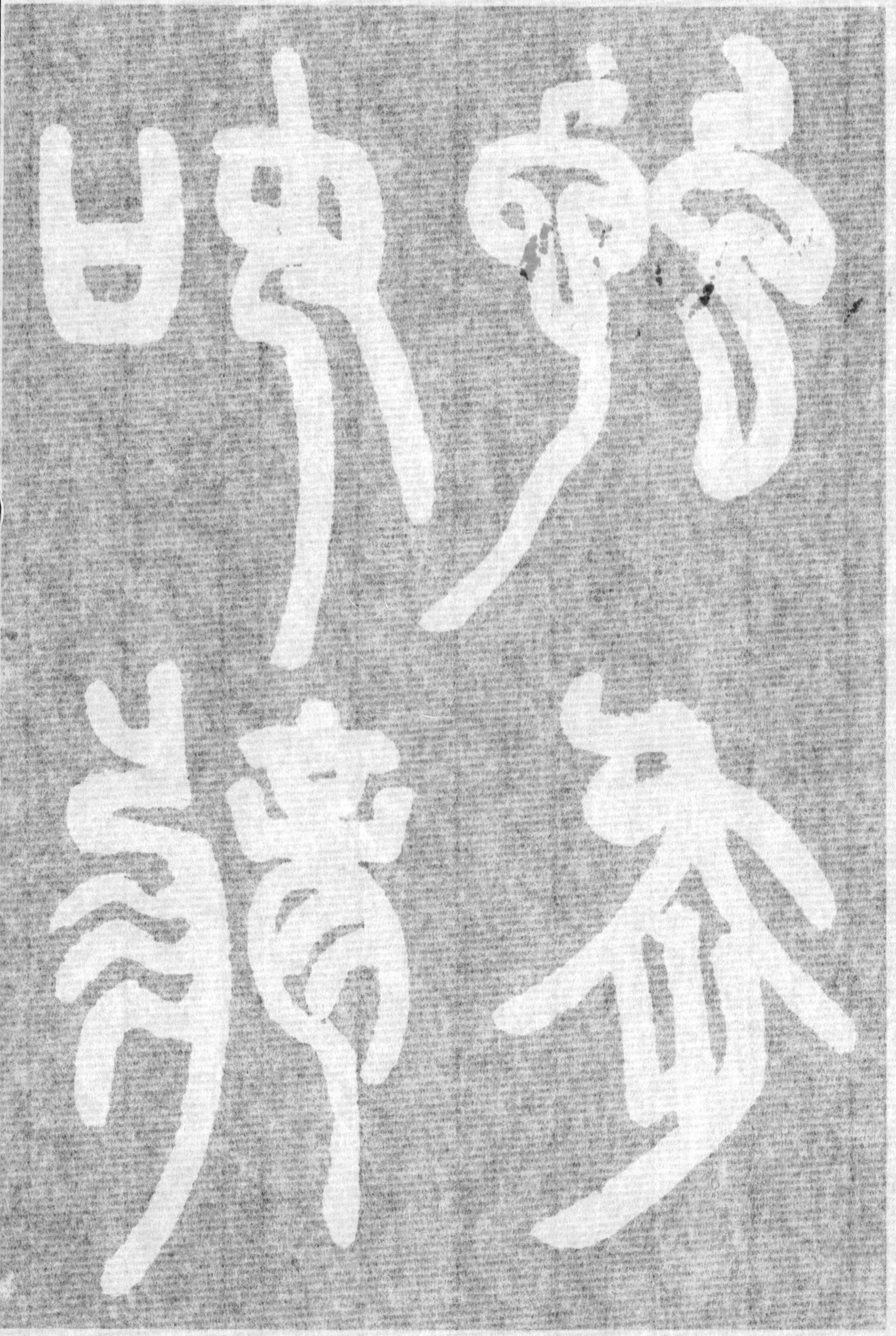

白石草堂藏
白石草堂藏

二〇
二五

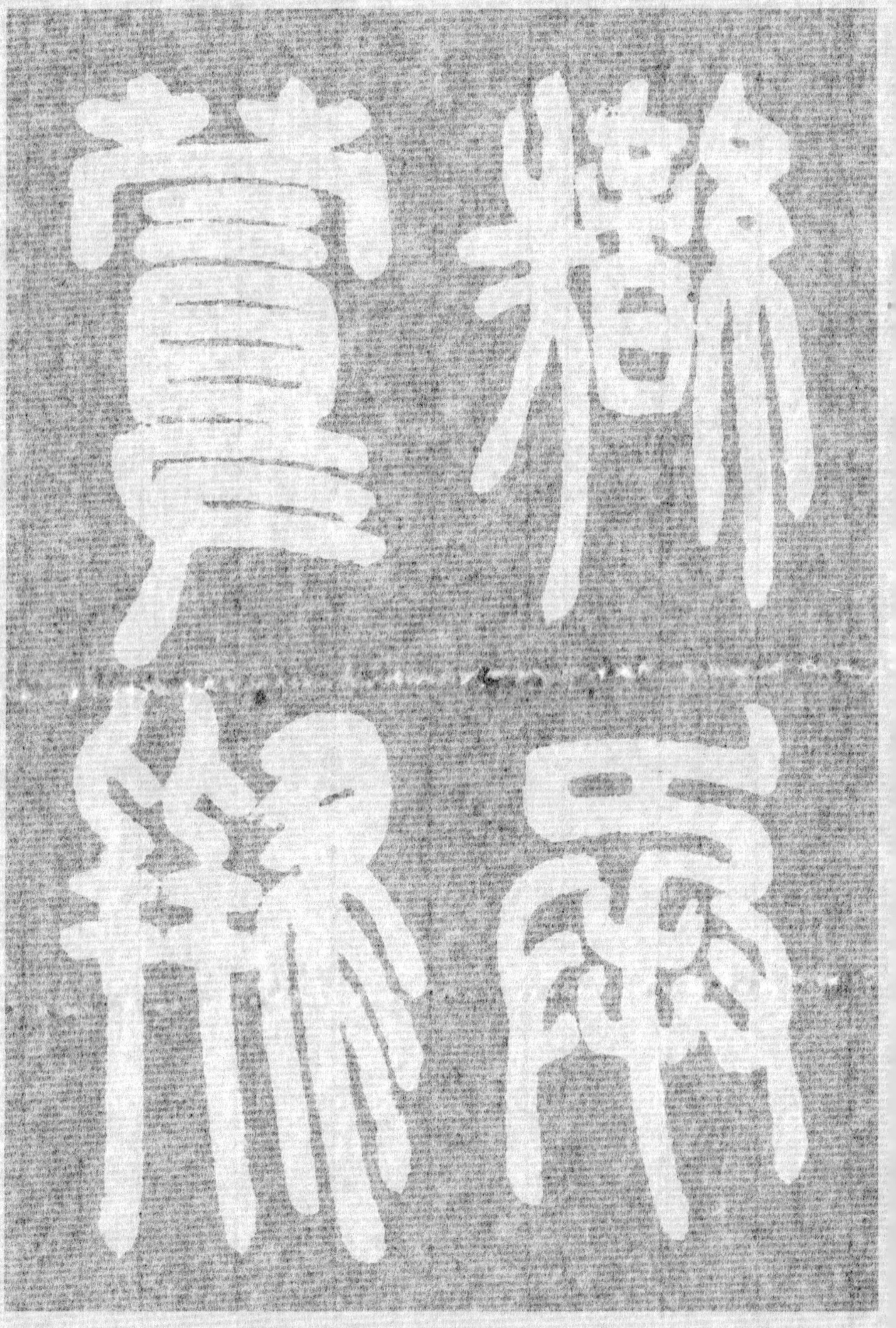

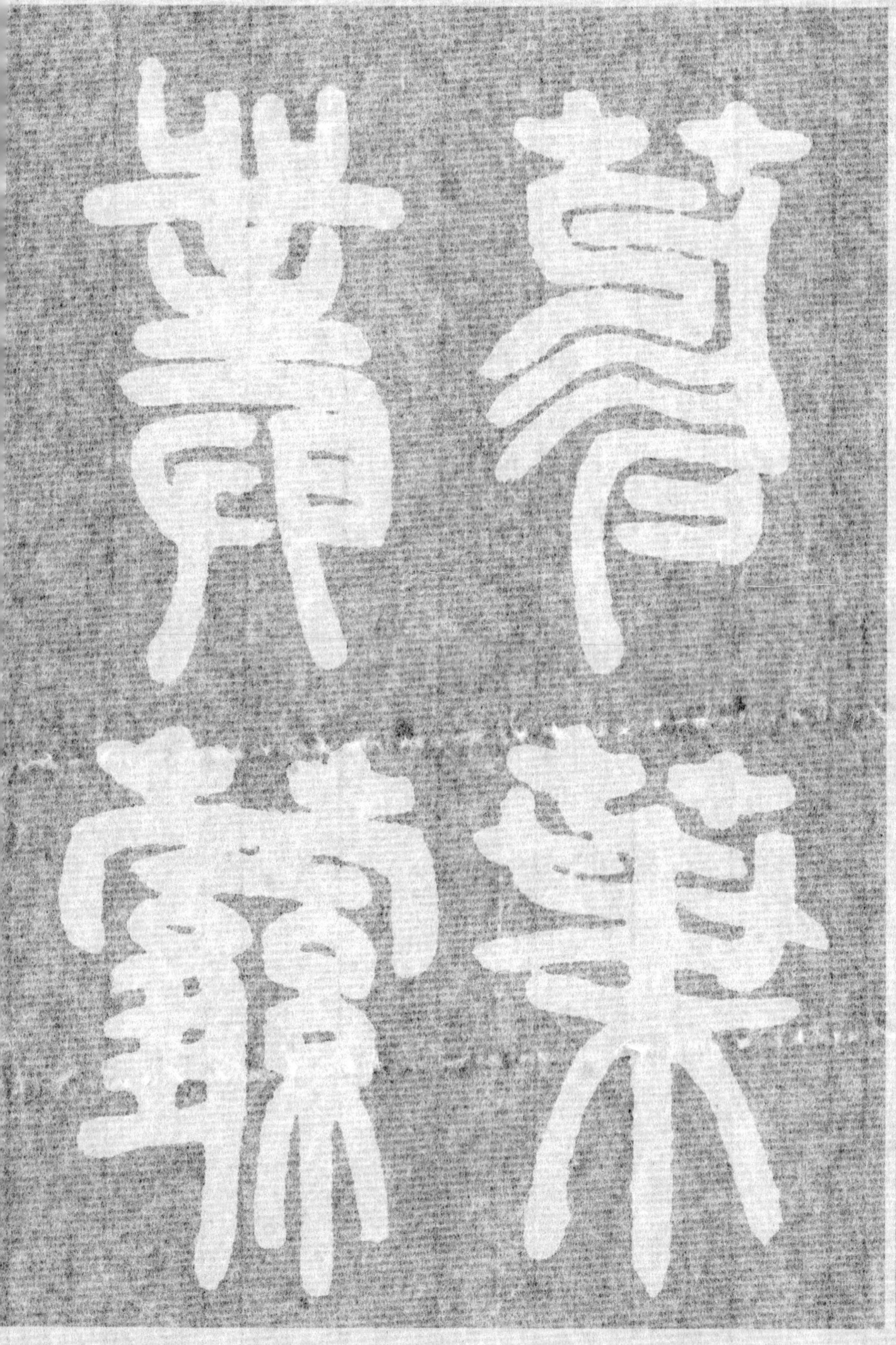

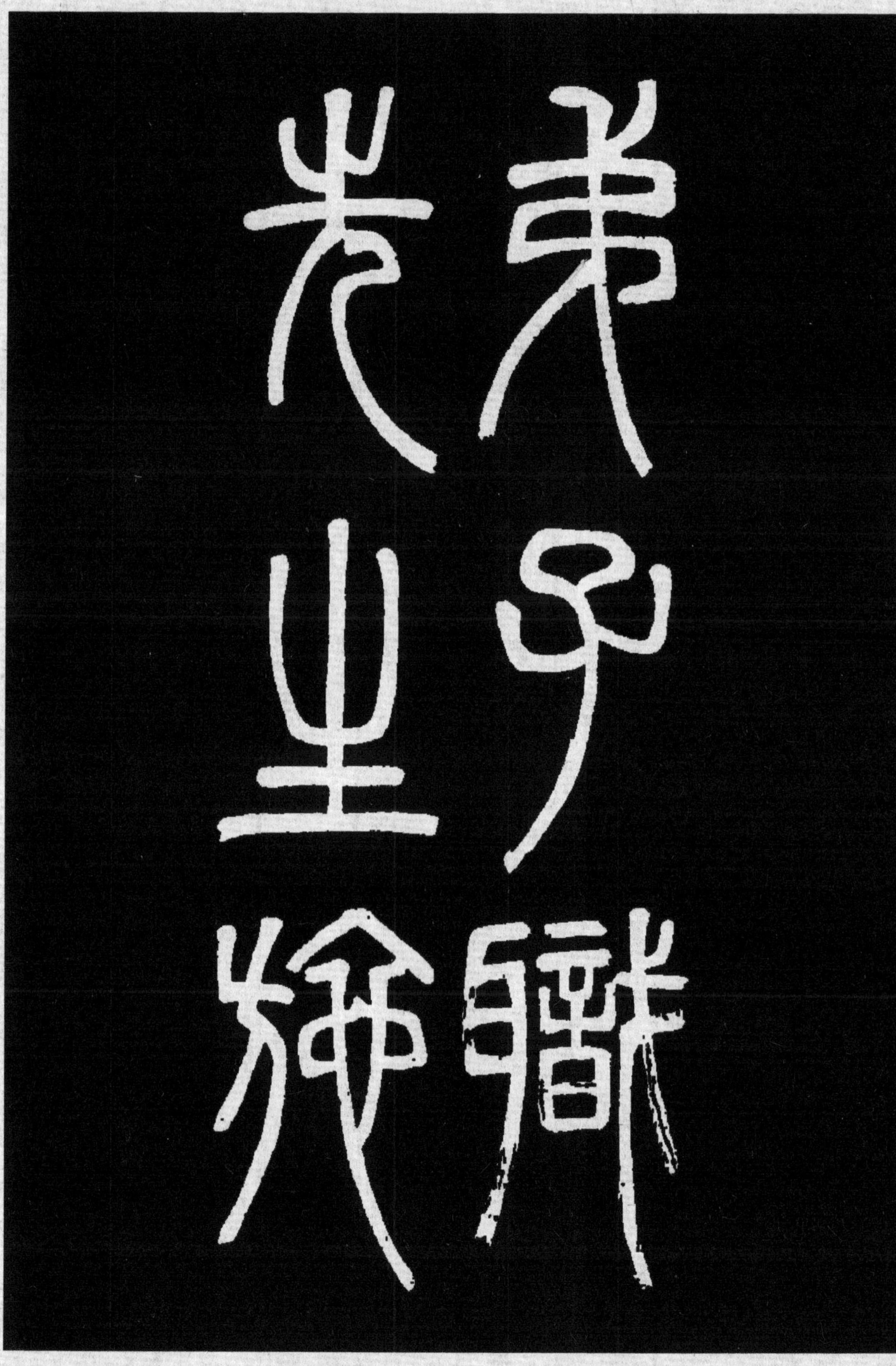
弟子職
先生施

教弟子
是則溫
恭自虛

鄧石如書法集

弟子職 三

弟子職 二

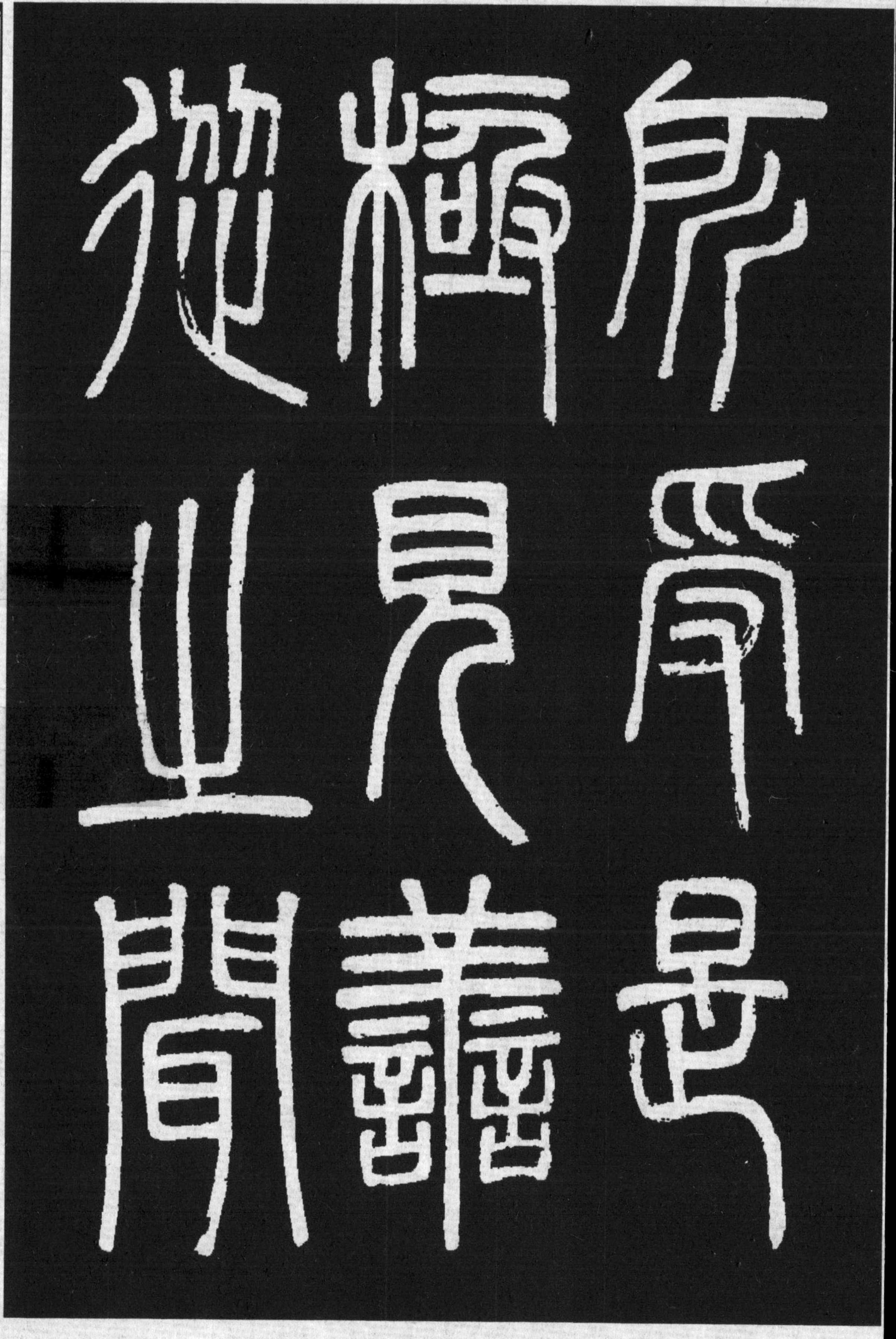
所受是
極見善
從之聞

義則服
溫柔孝
弟毋驕

所受是
極見善
從之聞

義則服
溫柔孝
弟毋驕

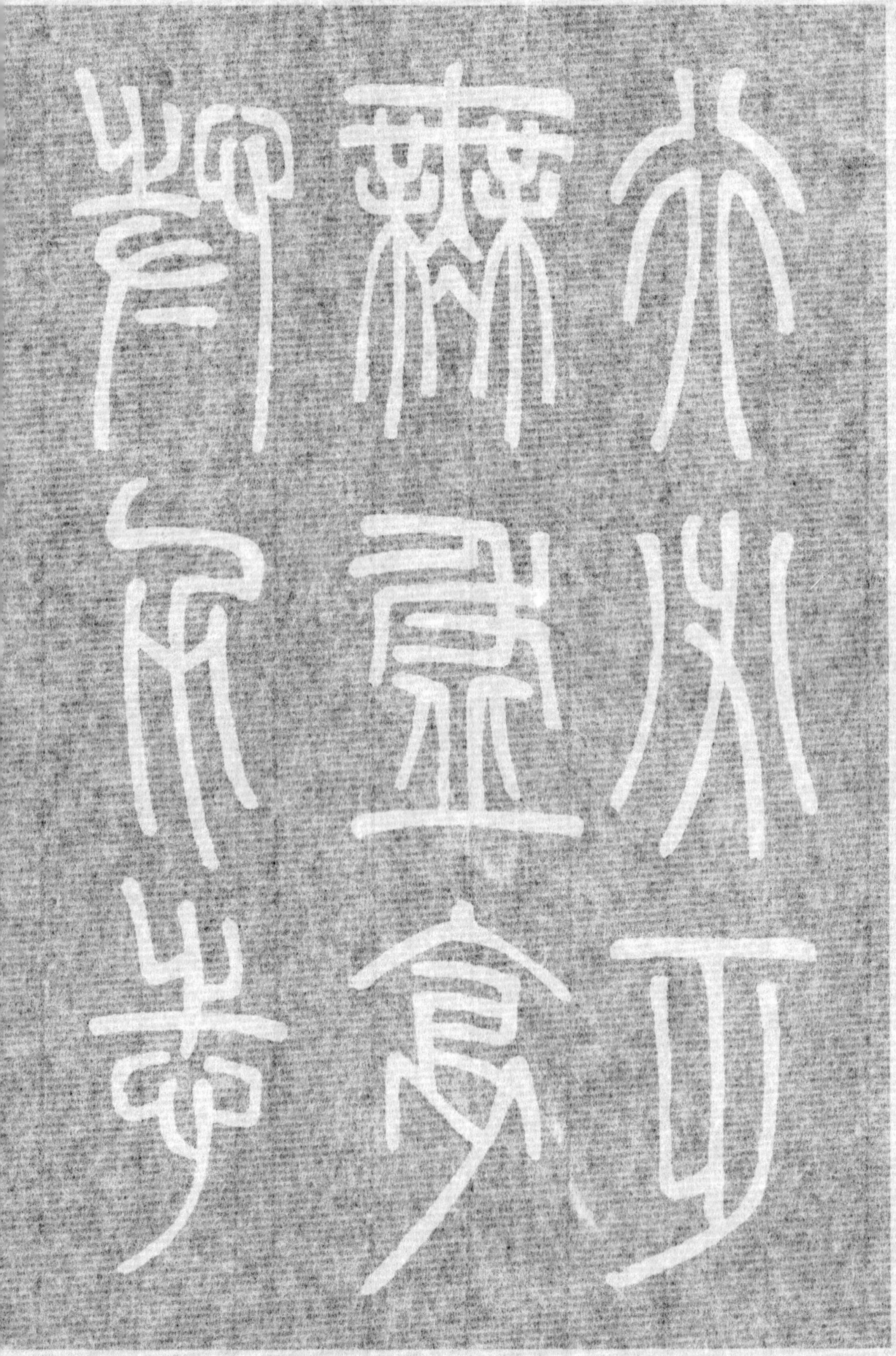

暮習小心翼翼壹此不解

是謂學則少者之事夜

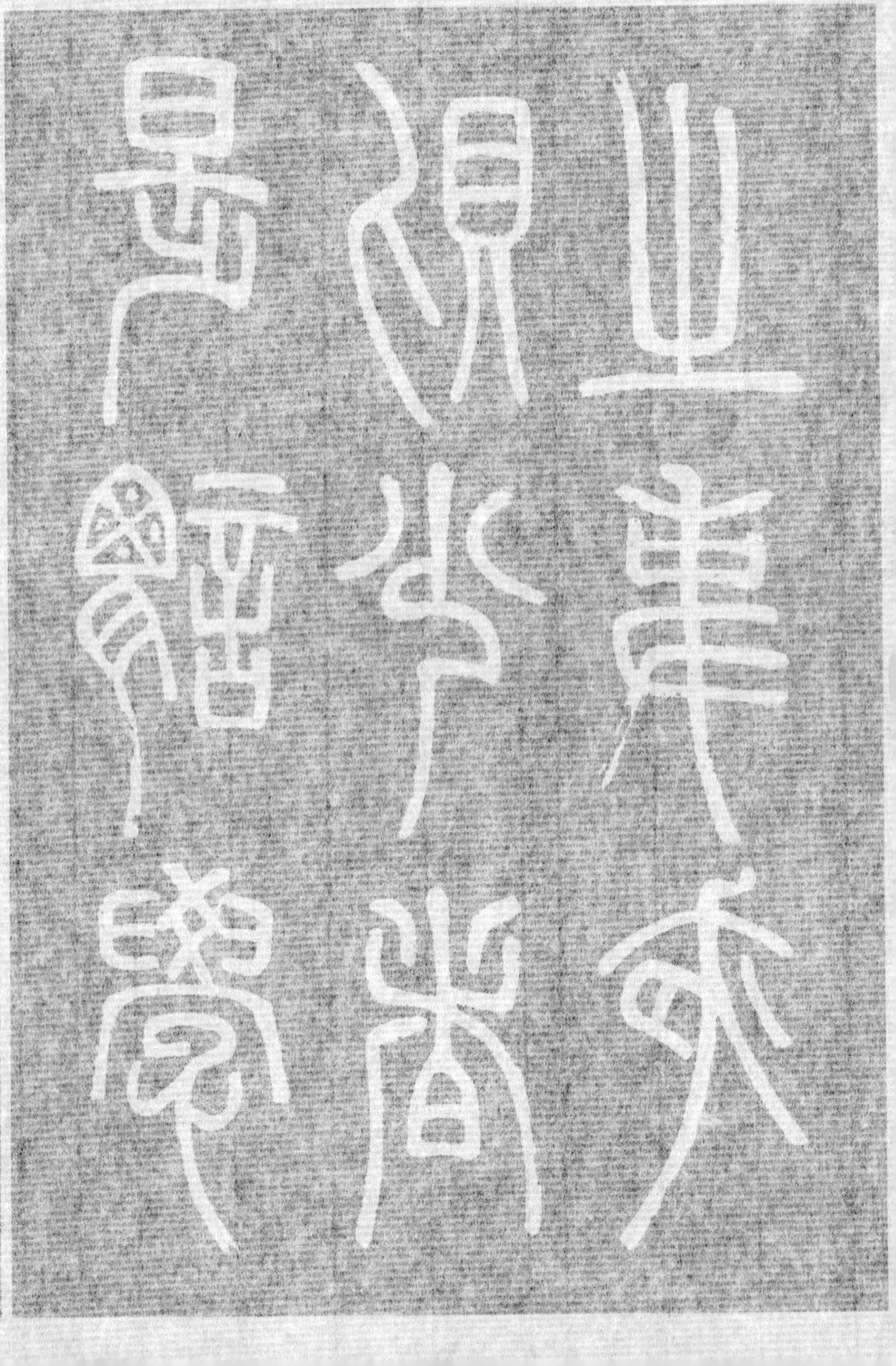

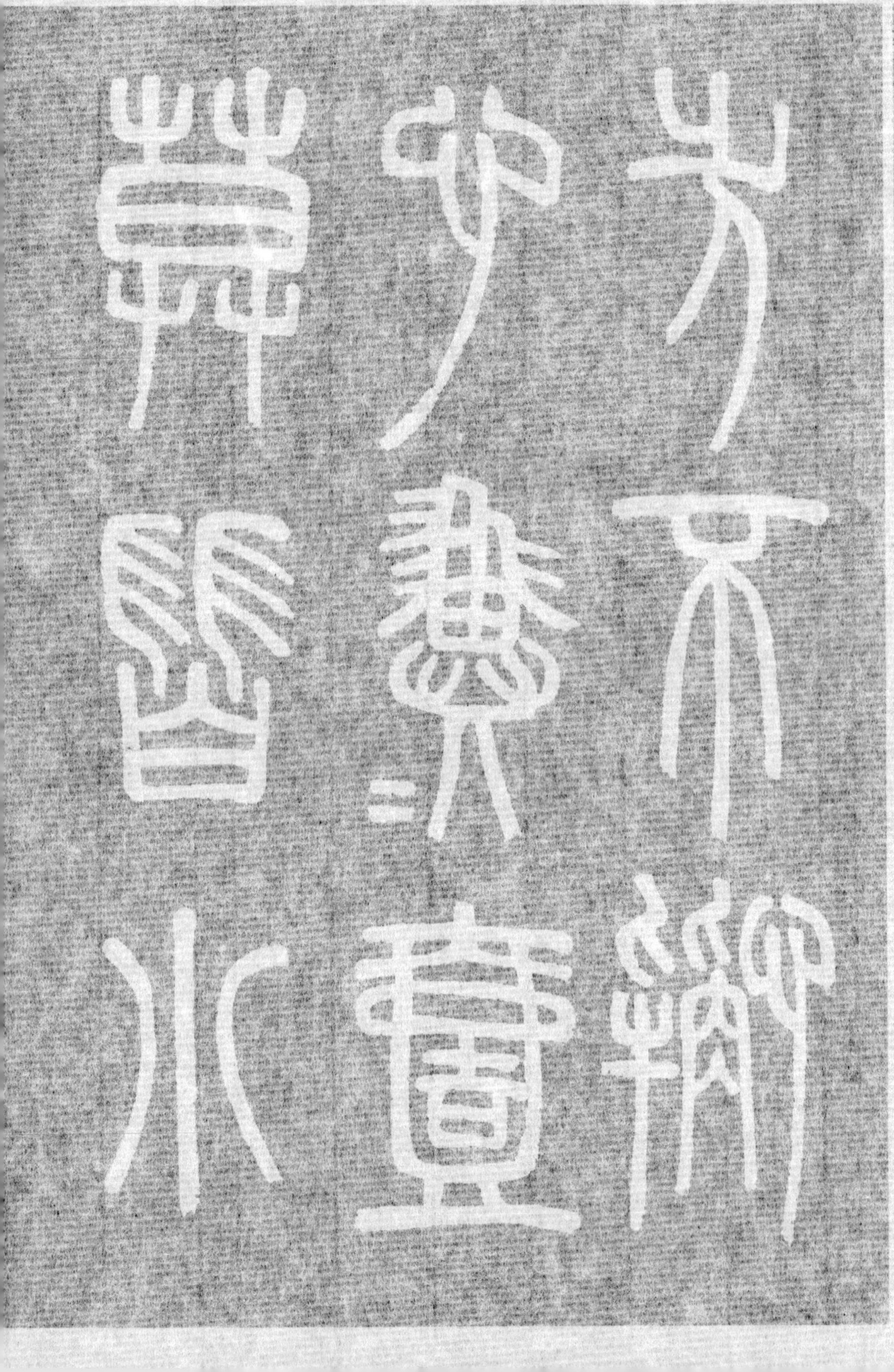

第十課　第十課

三三　三四

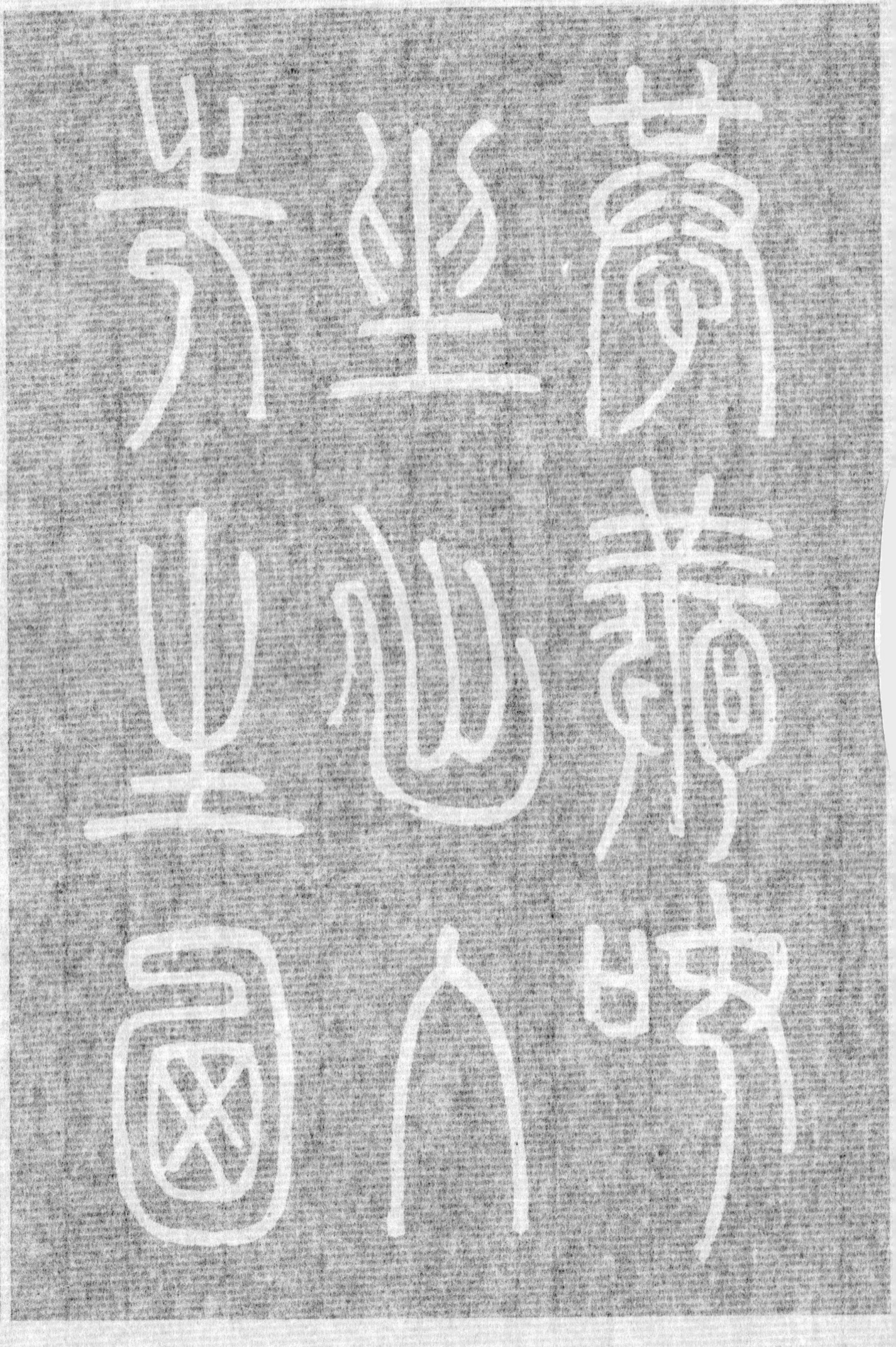

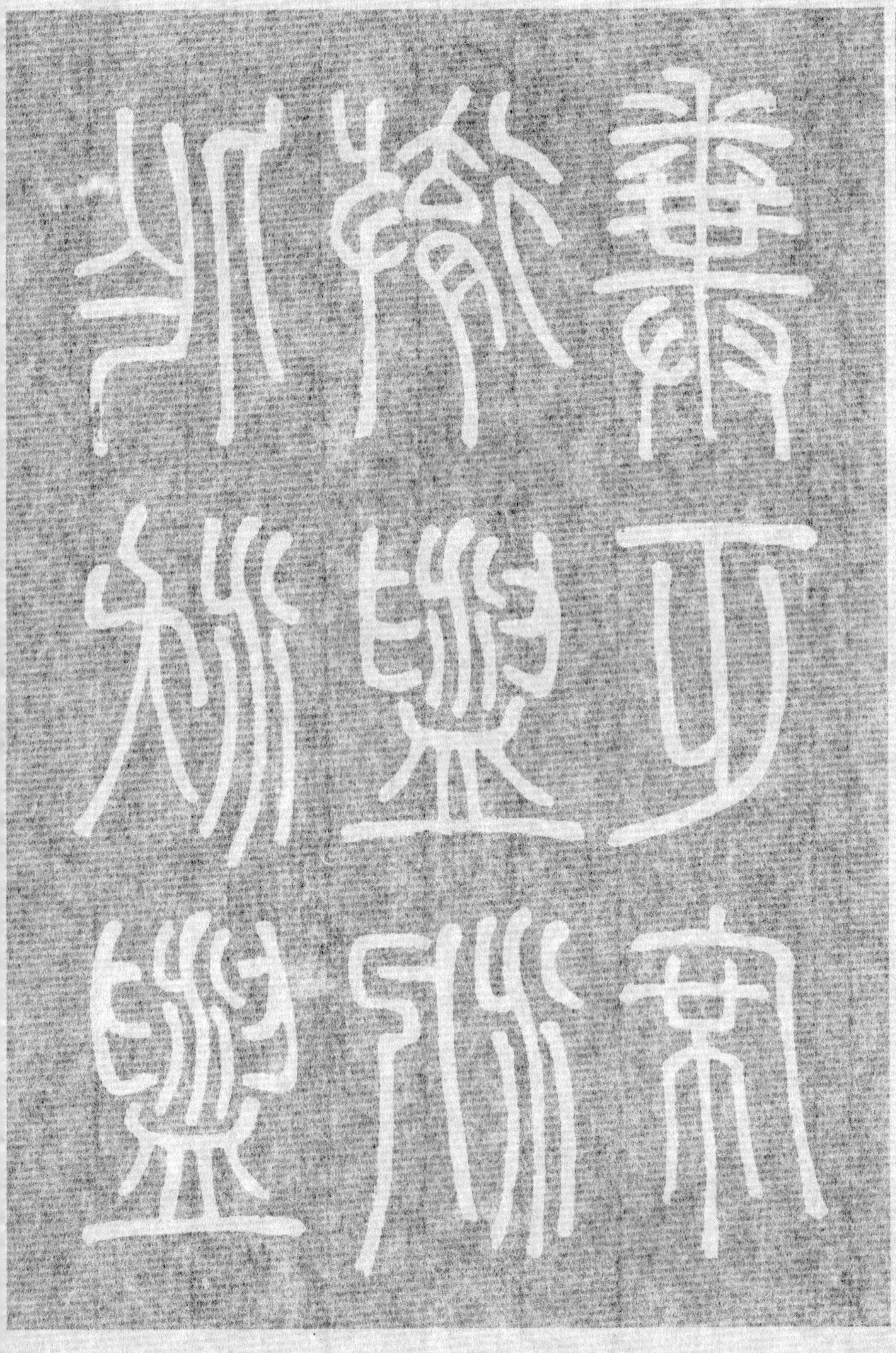

見賓客
危坐鄉
師顏色

毋怍受
業之紀
必由長

弟子題

弟子題

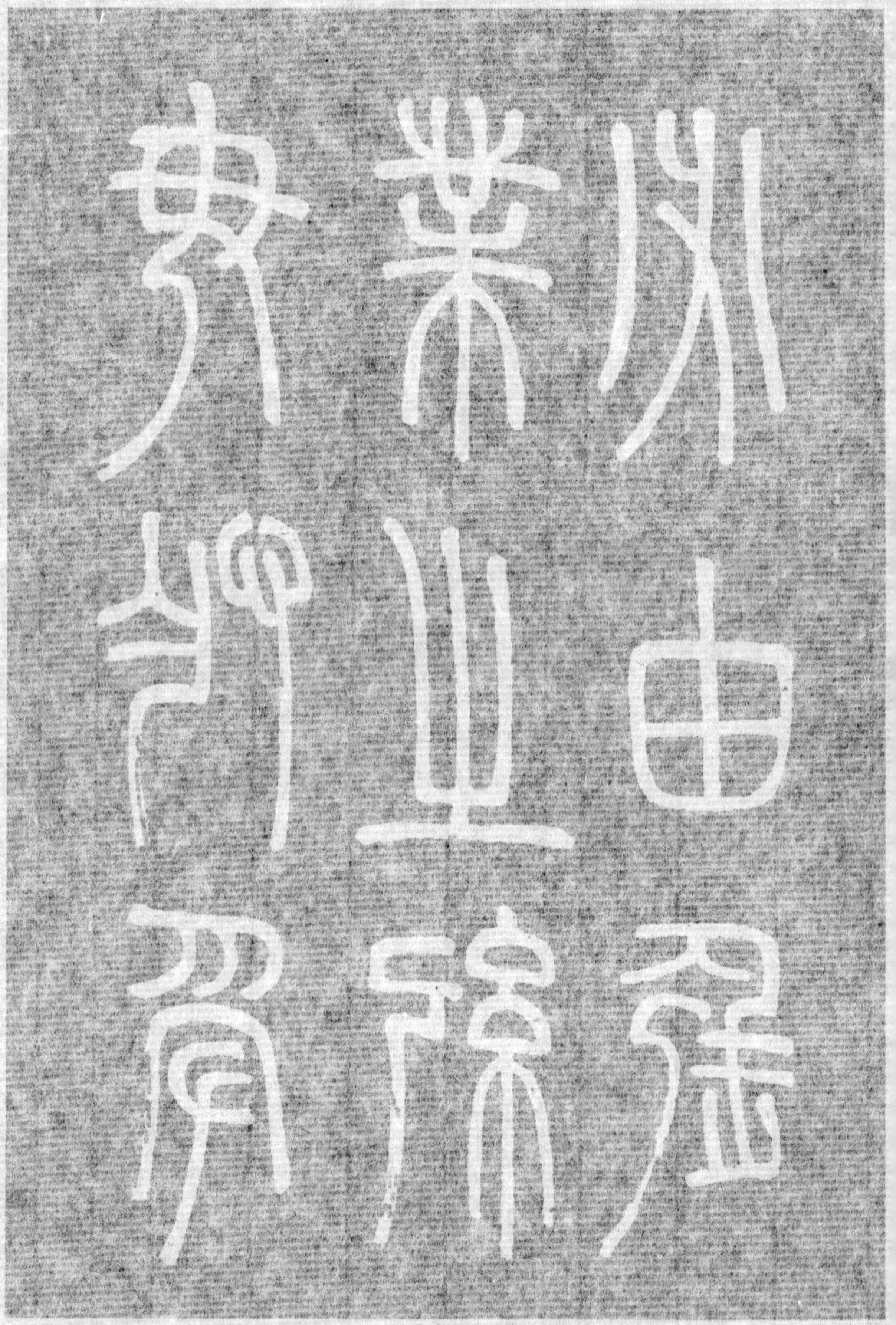

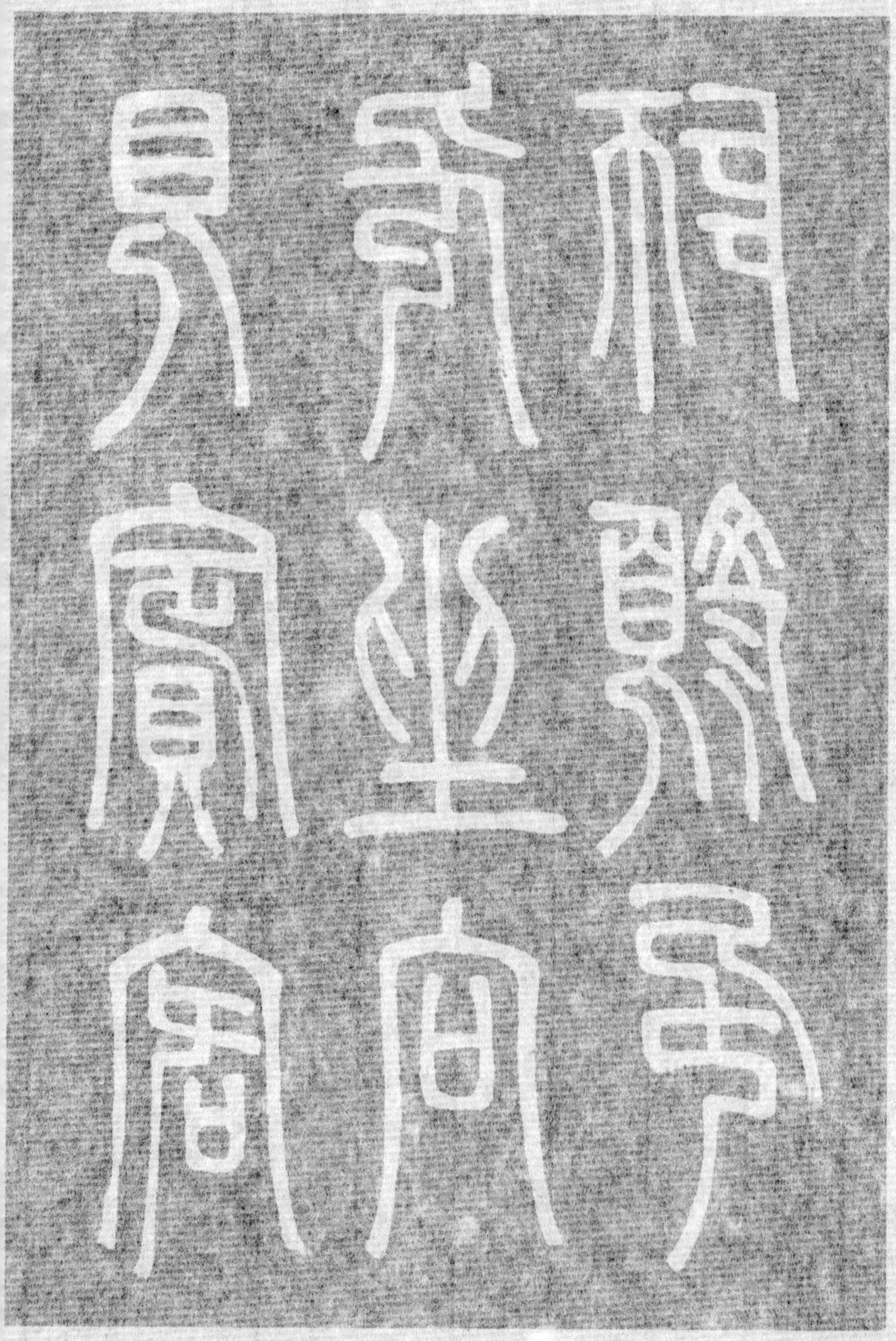

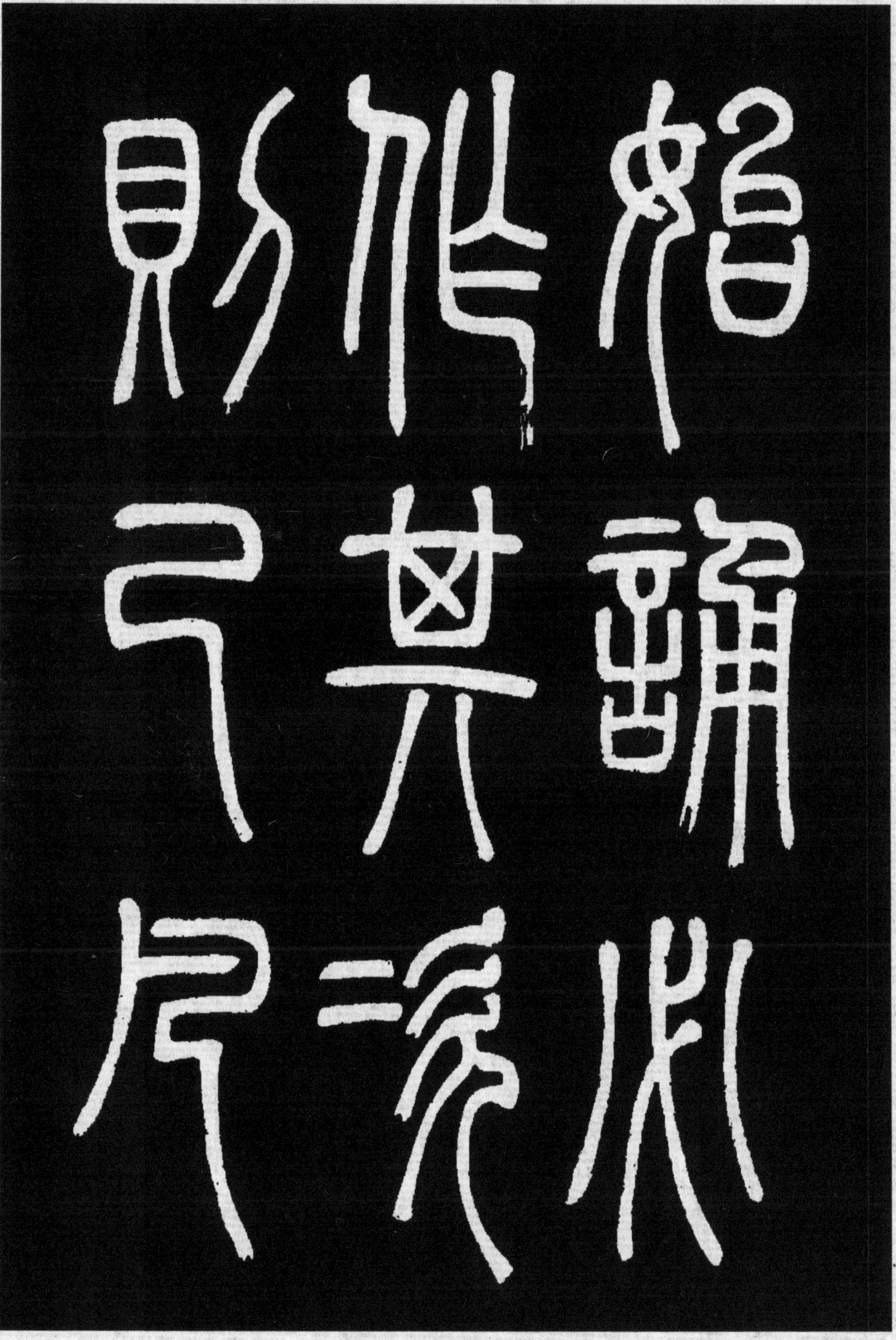

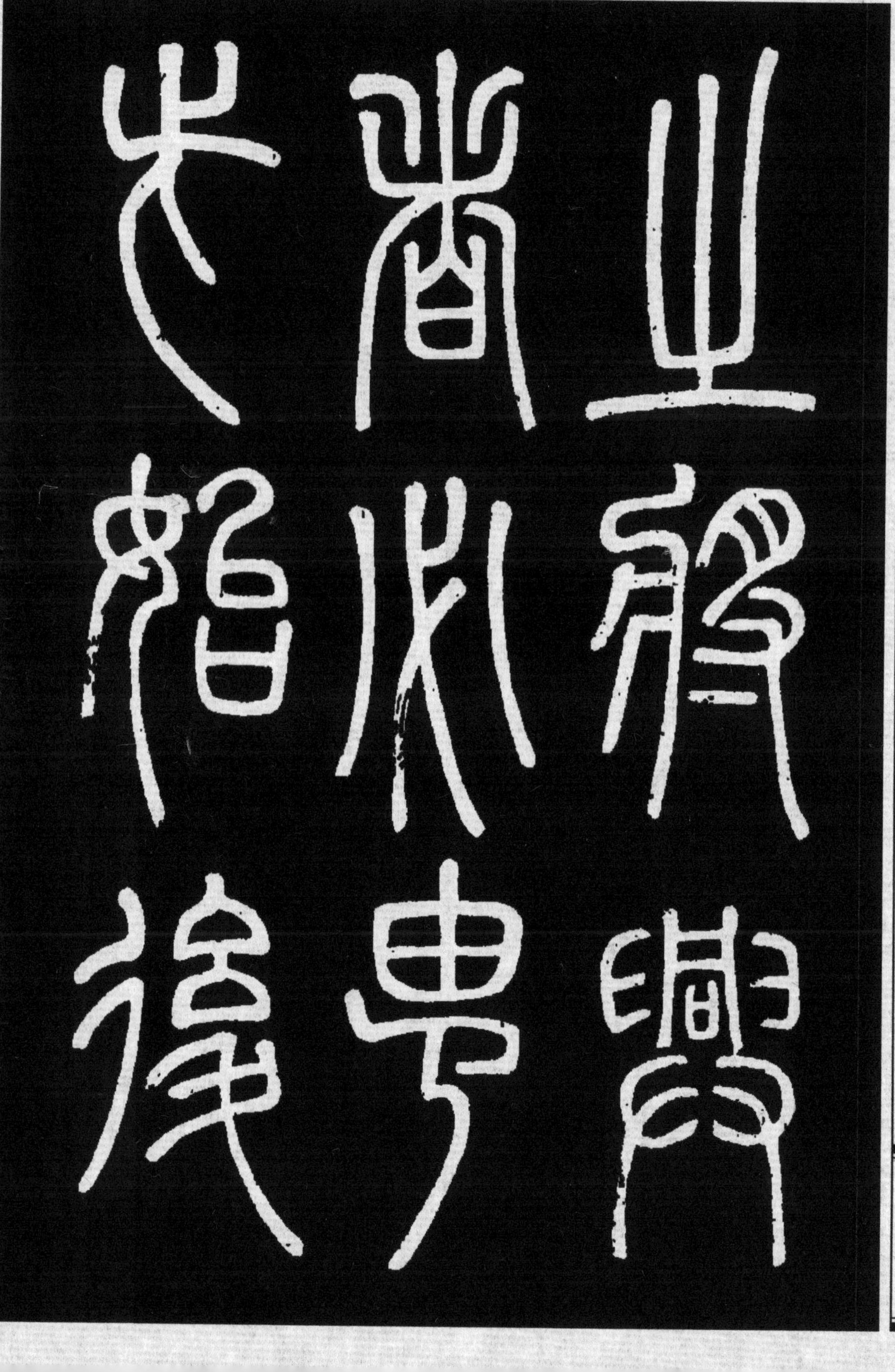

鄧石如書法集

弟子職 四二

弟子職 四一

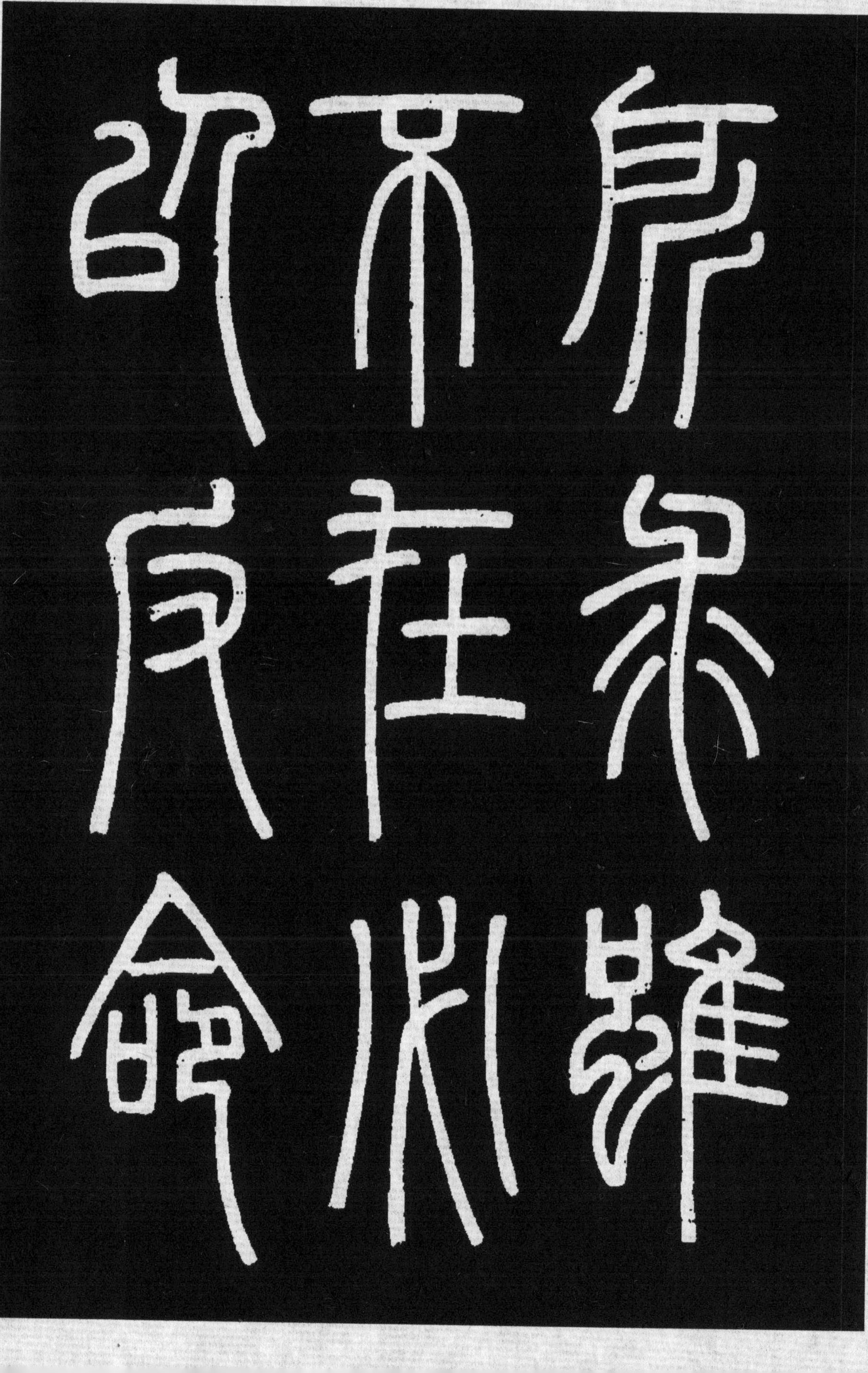

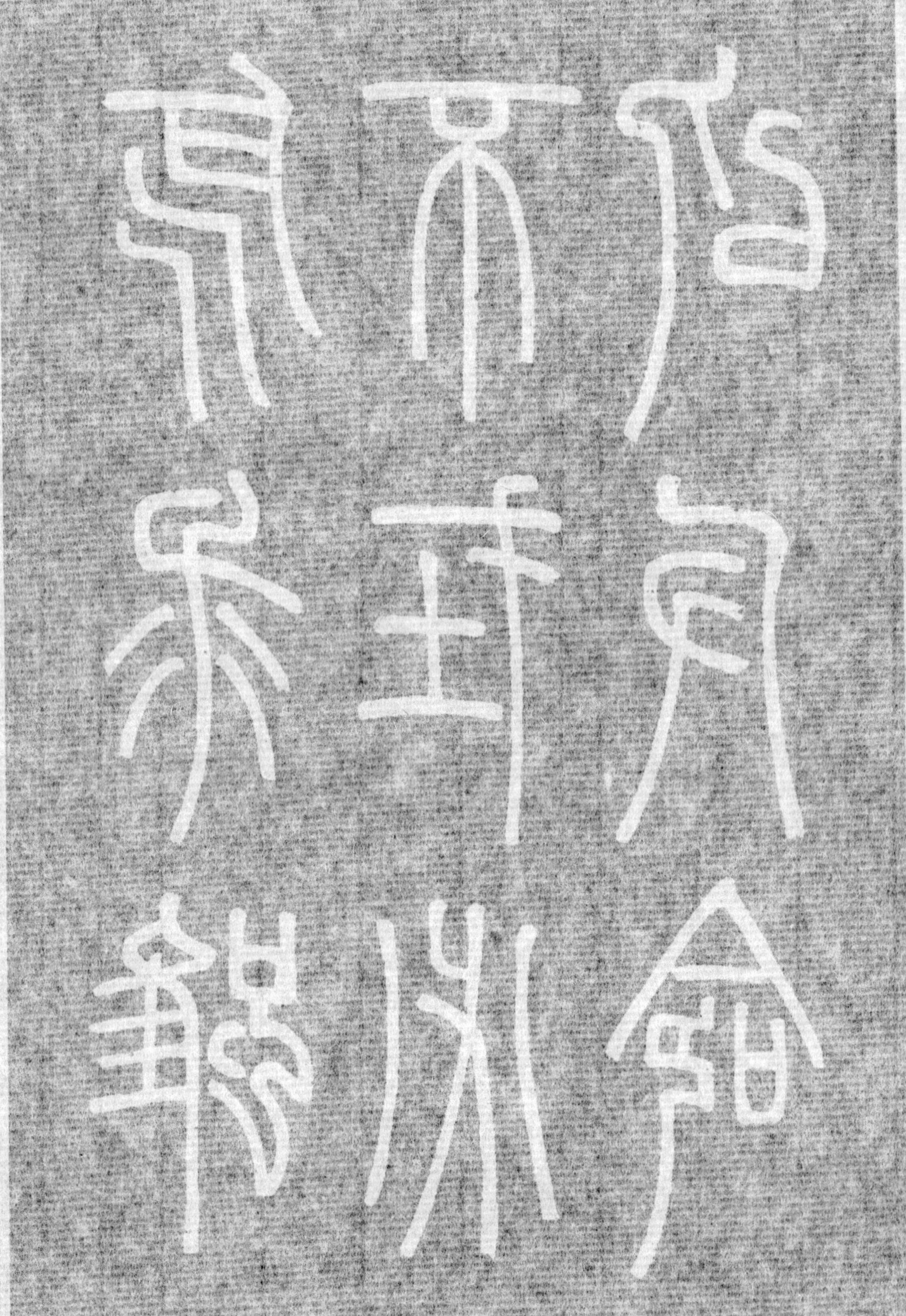

遊古閣書哉集

弟子職　　弟子職

四六　四正

四

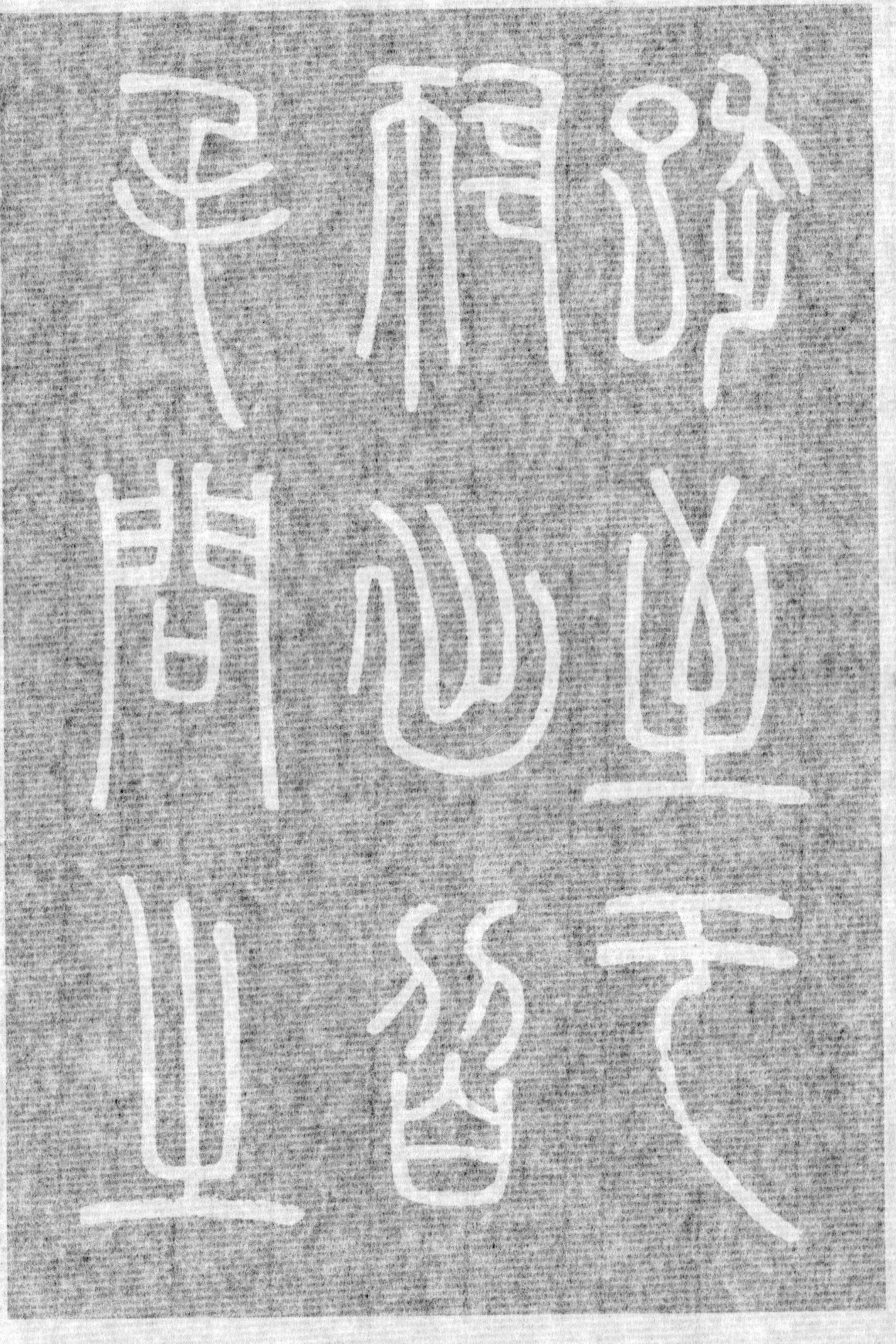

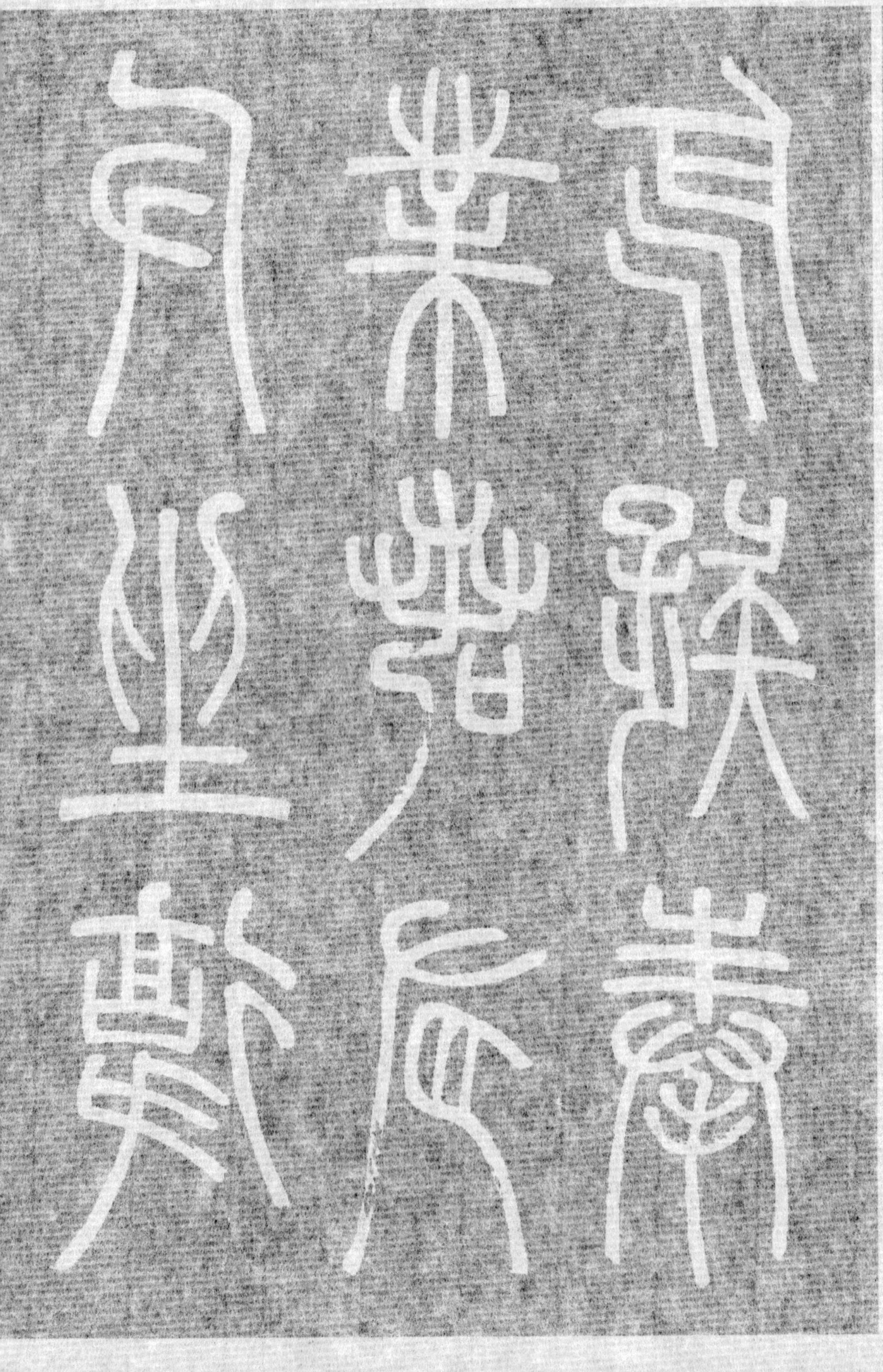

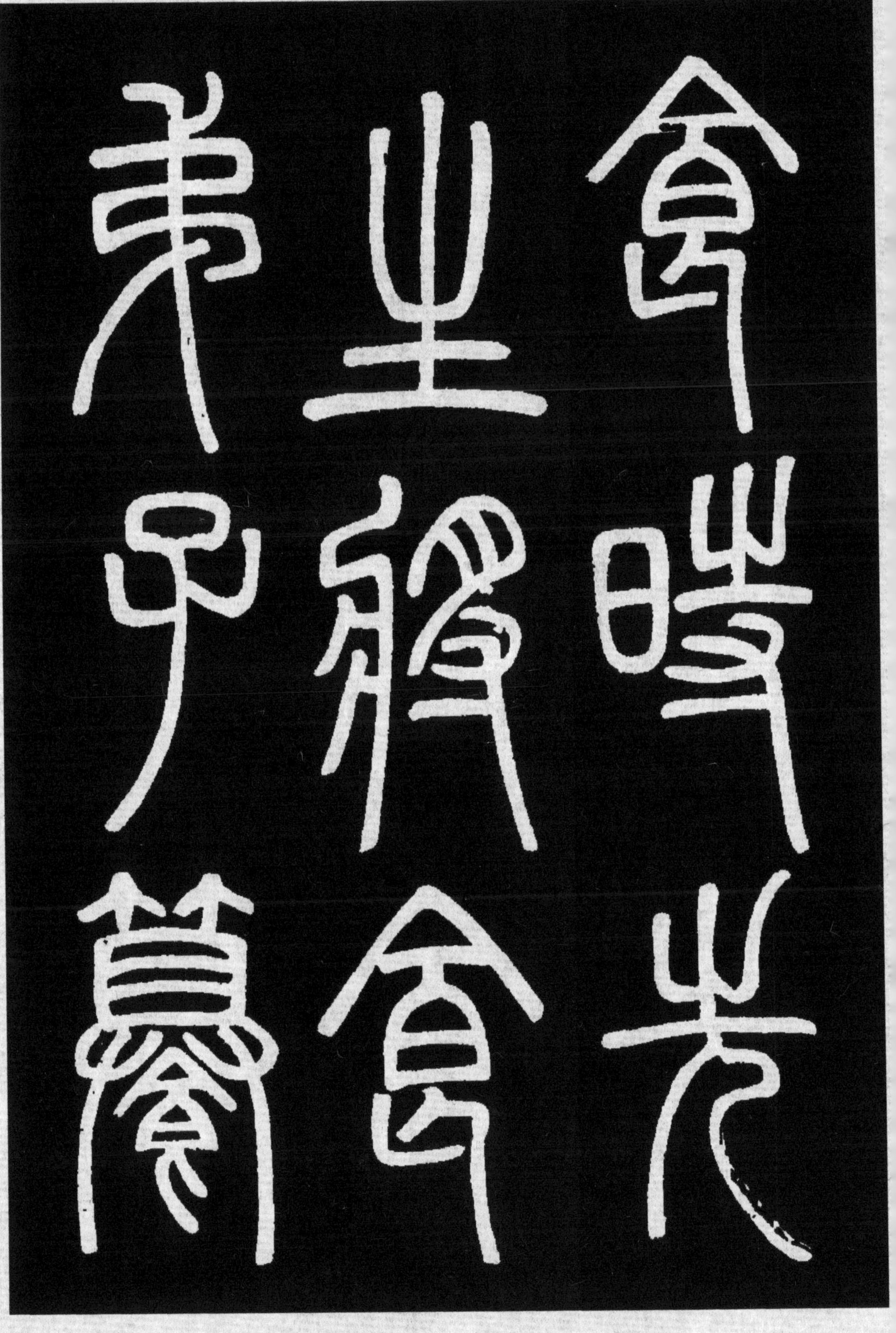

澄古明舊書墨集

秦斯輝
弟斯輝

四人
四

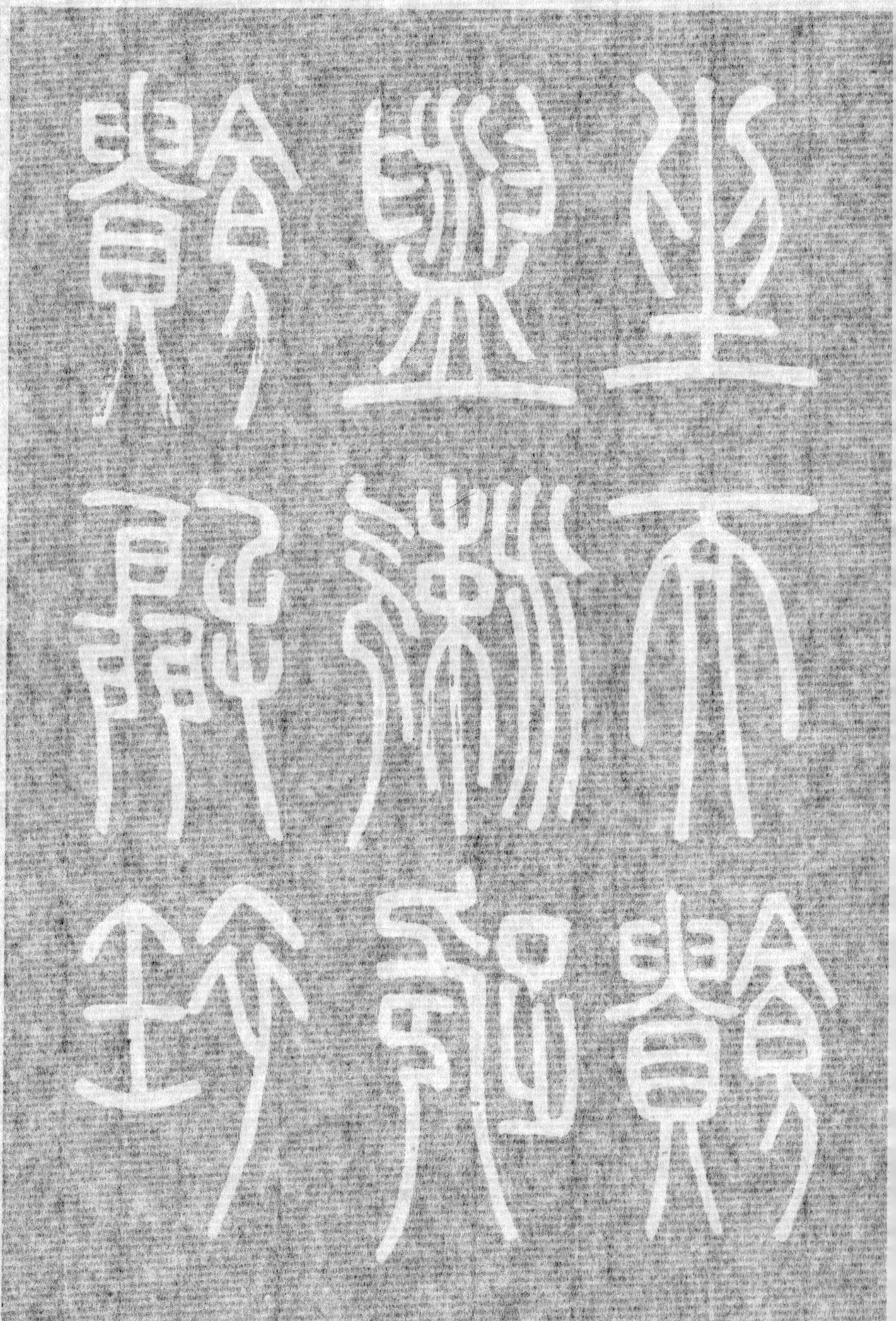

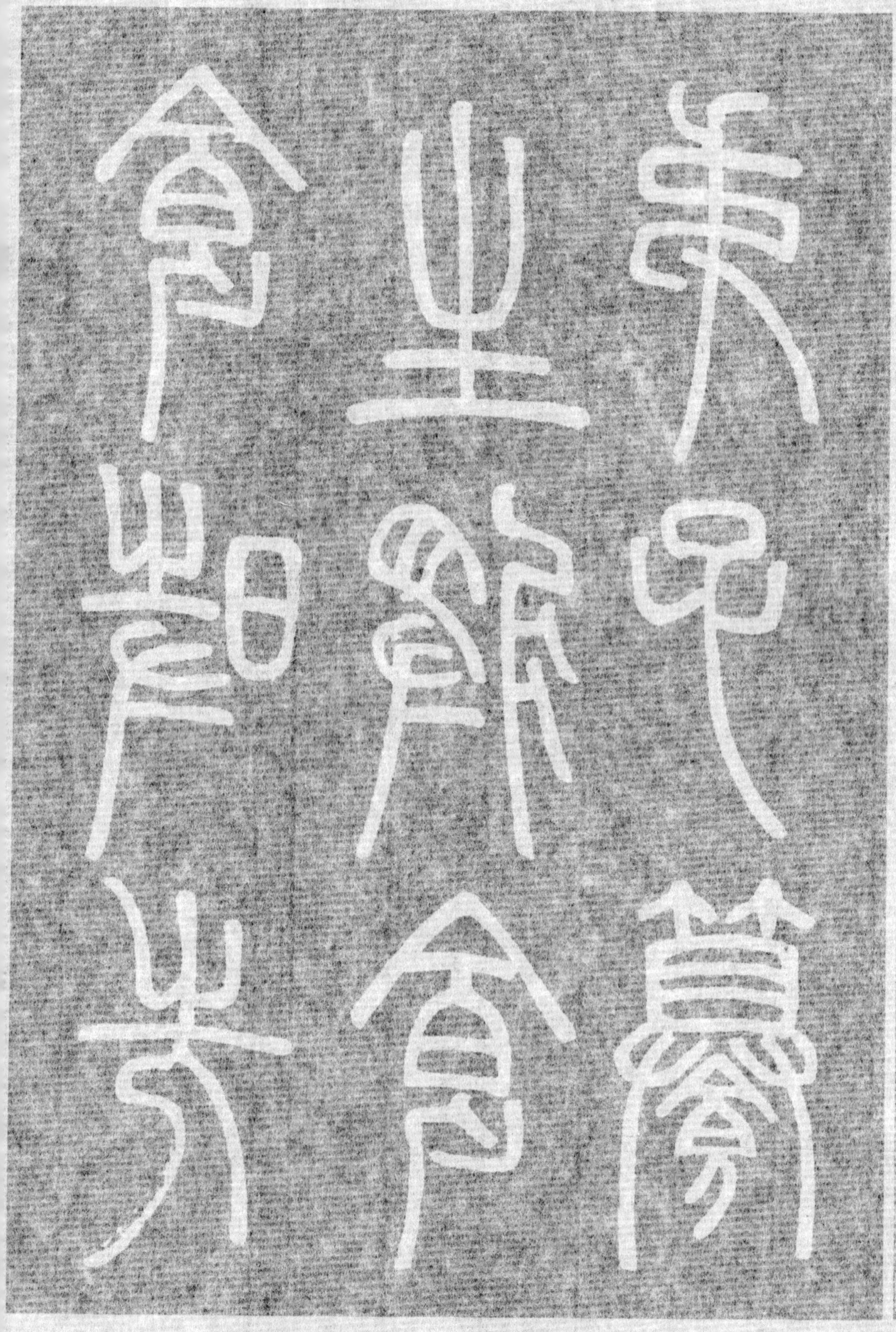

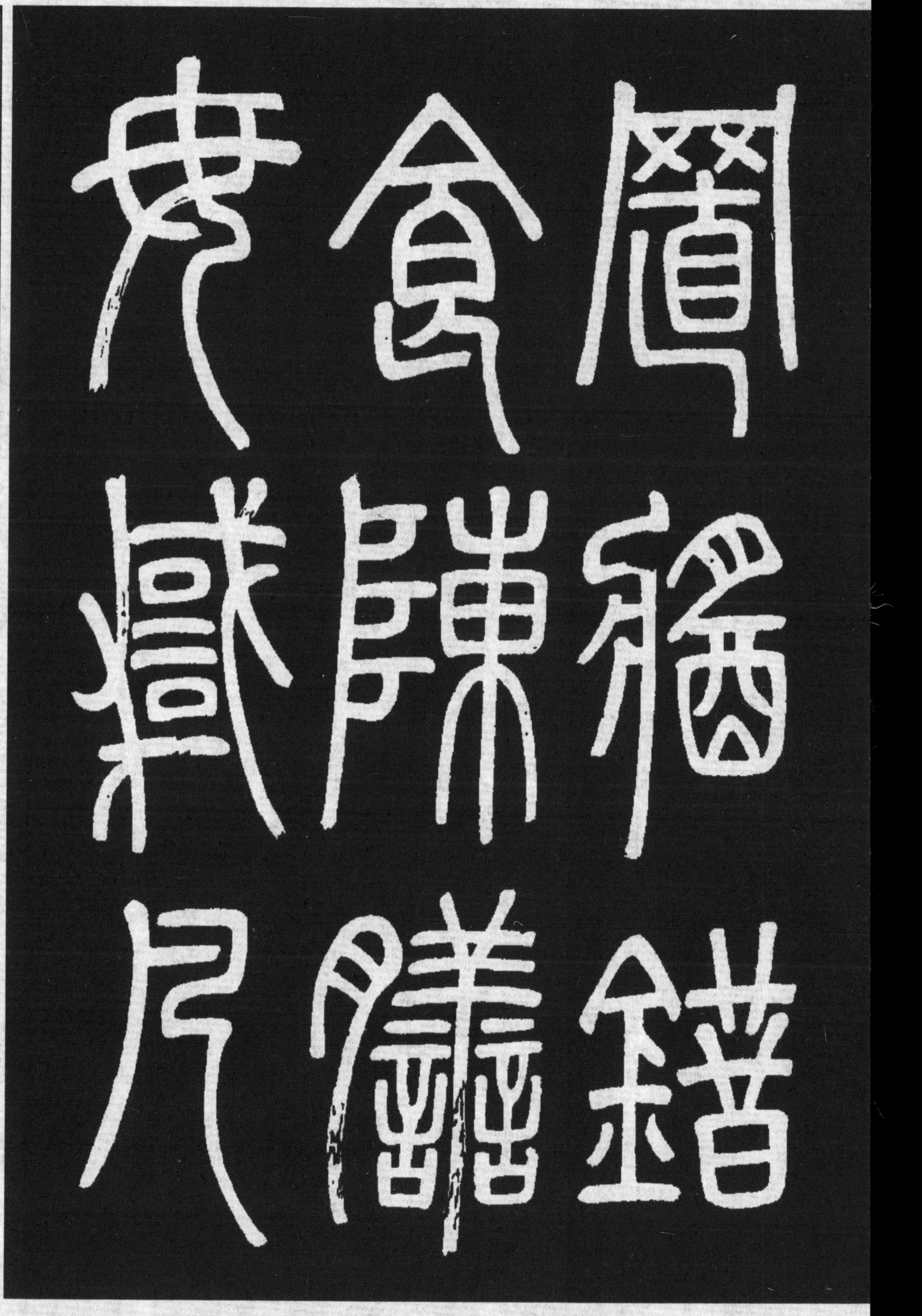

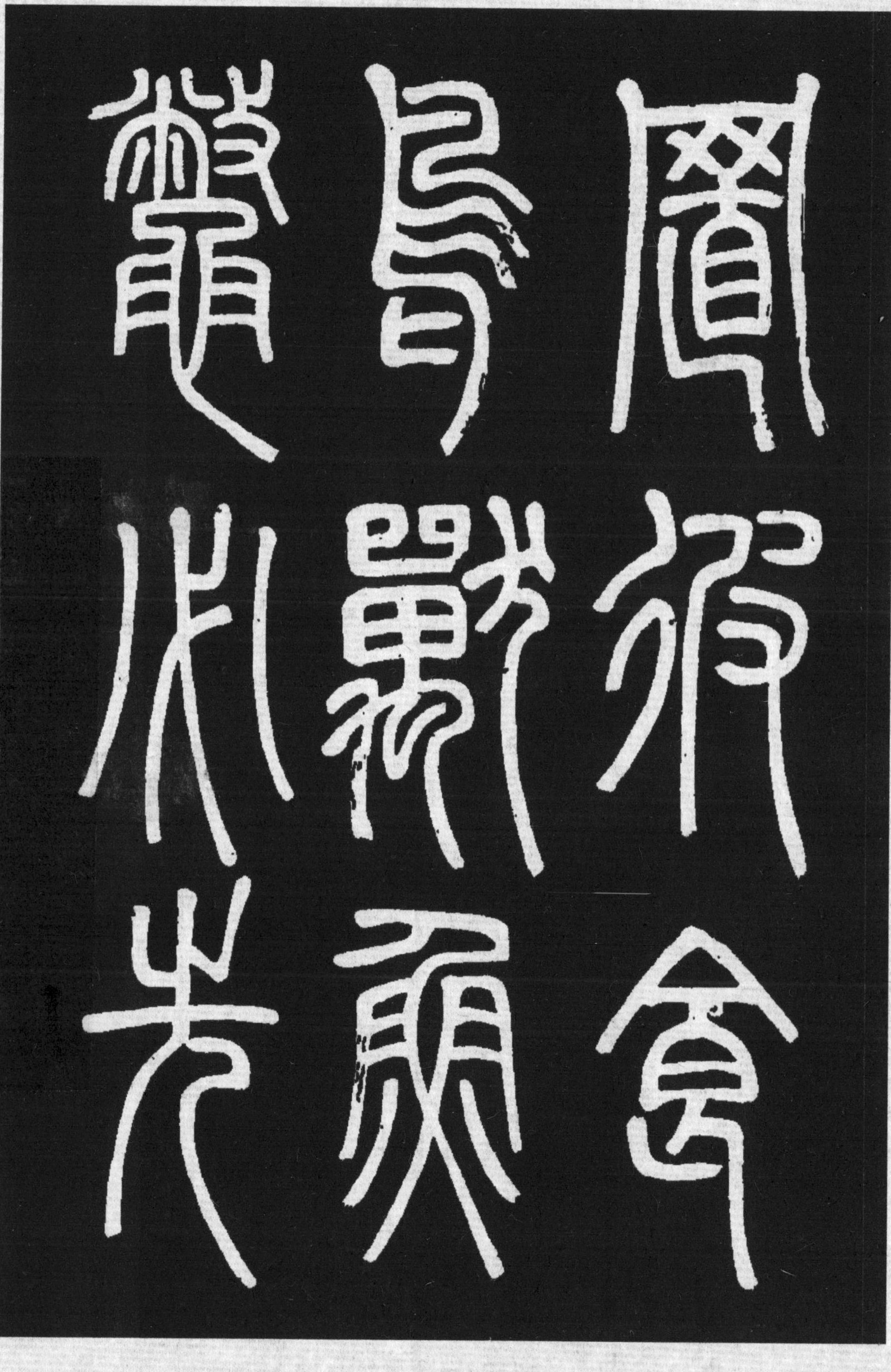

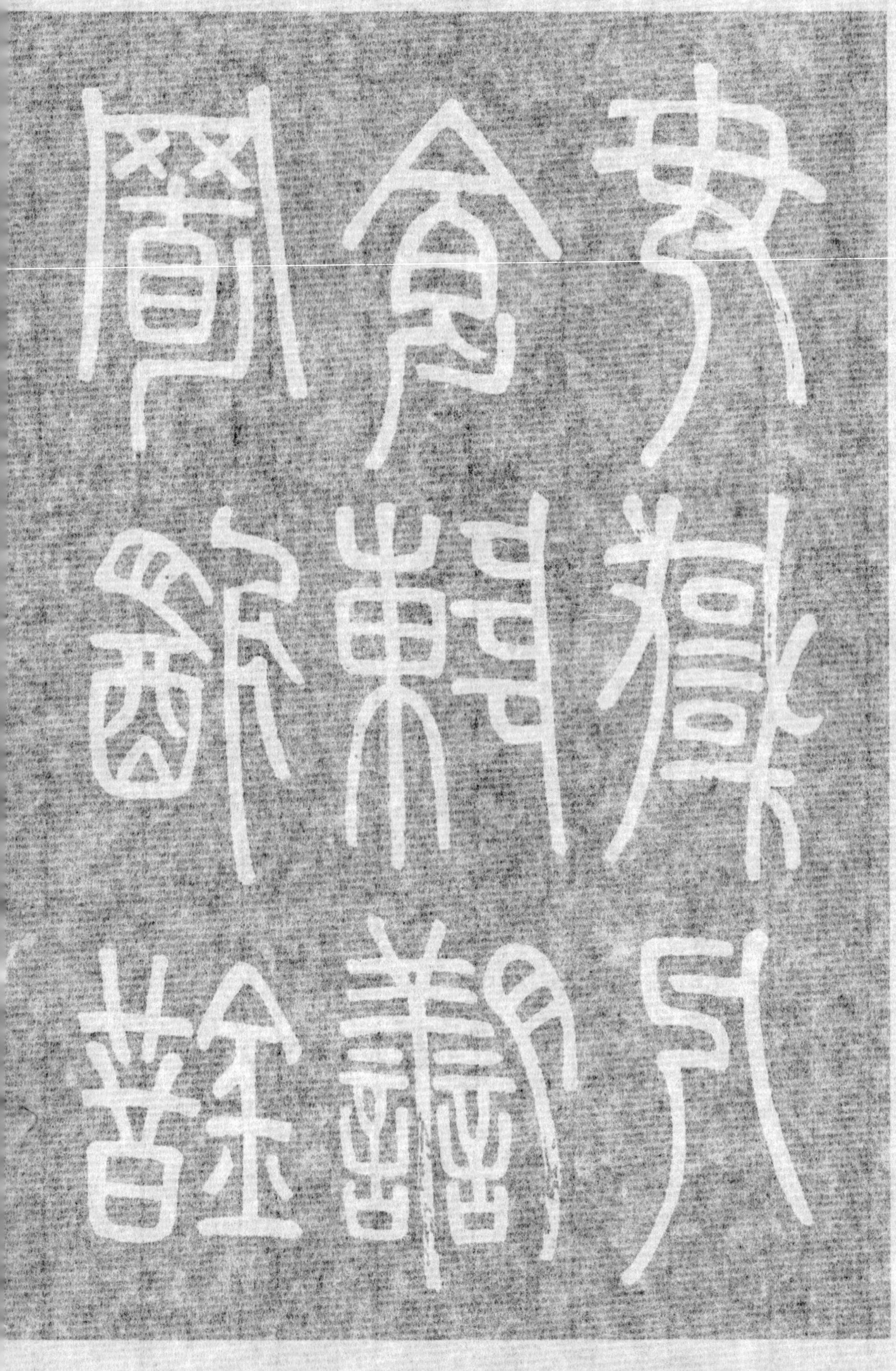

菜羹=胾
中別胾
在醬前

其設要
方飯是
爲卒左

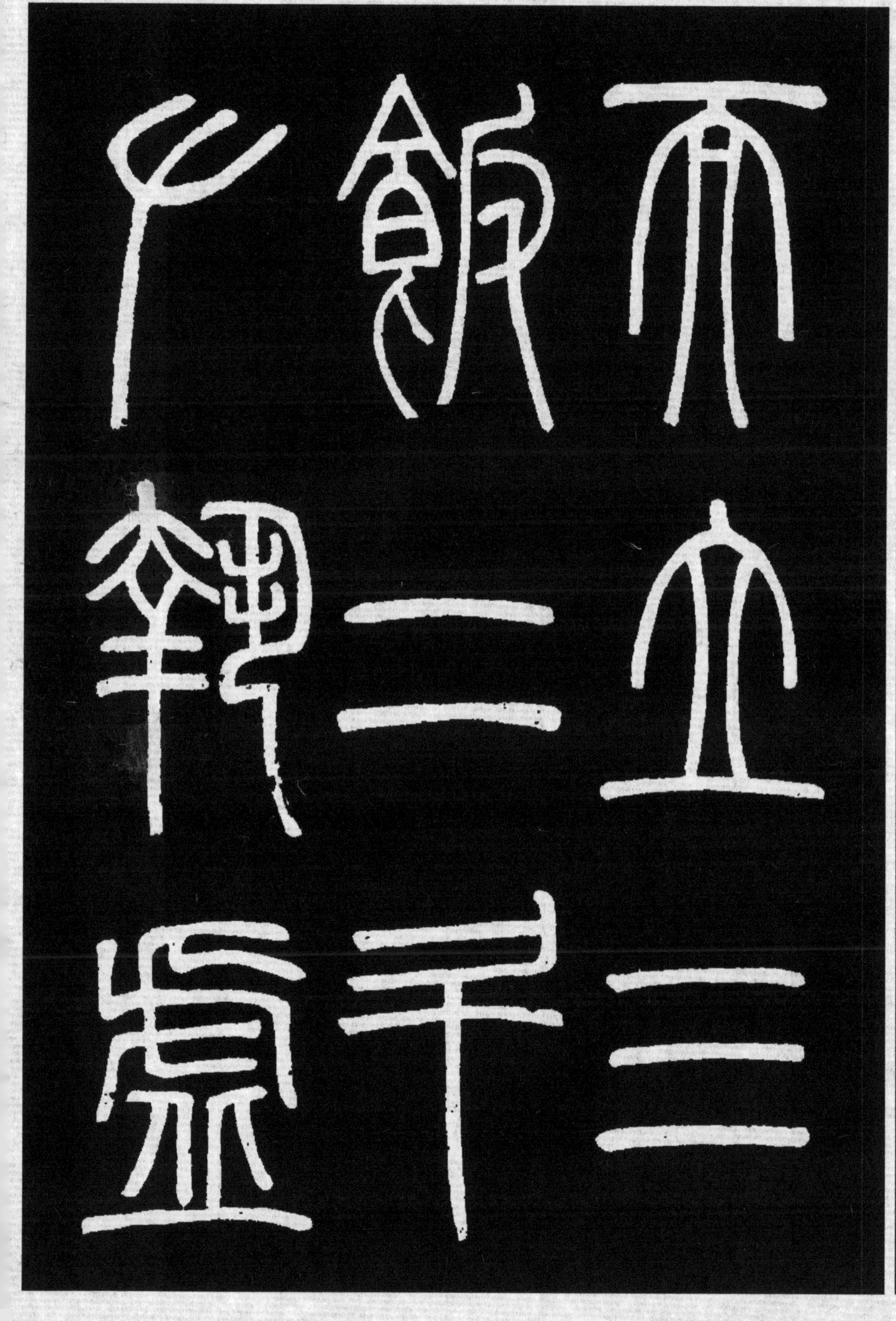

酒右醬
告具而
退奉手

而立三
飯二斗
左執虛

唯嗛之
視同嗛
以齒周

豆右執
挾匕周
還而貳

第十鄉

第七鄉

五六
五五

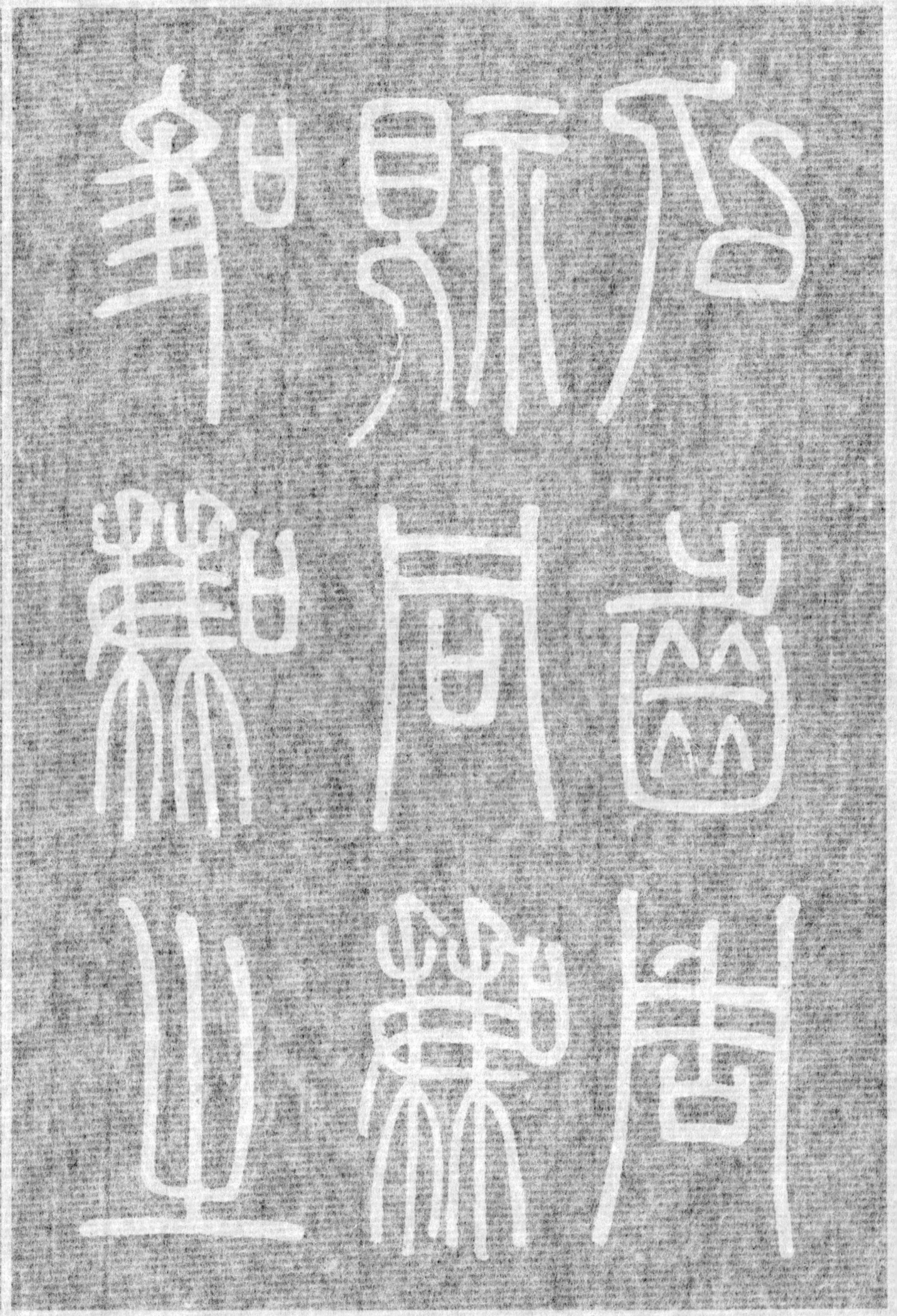

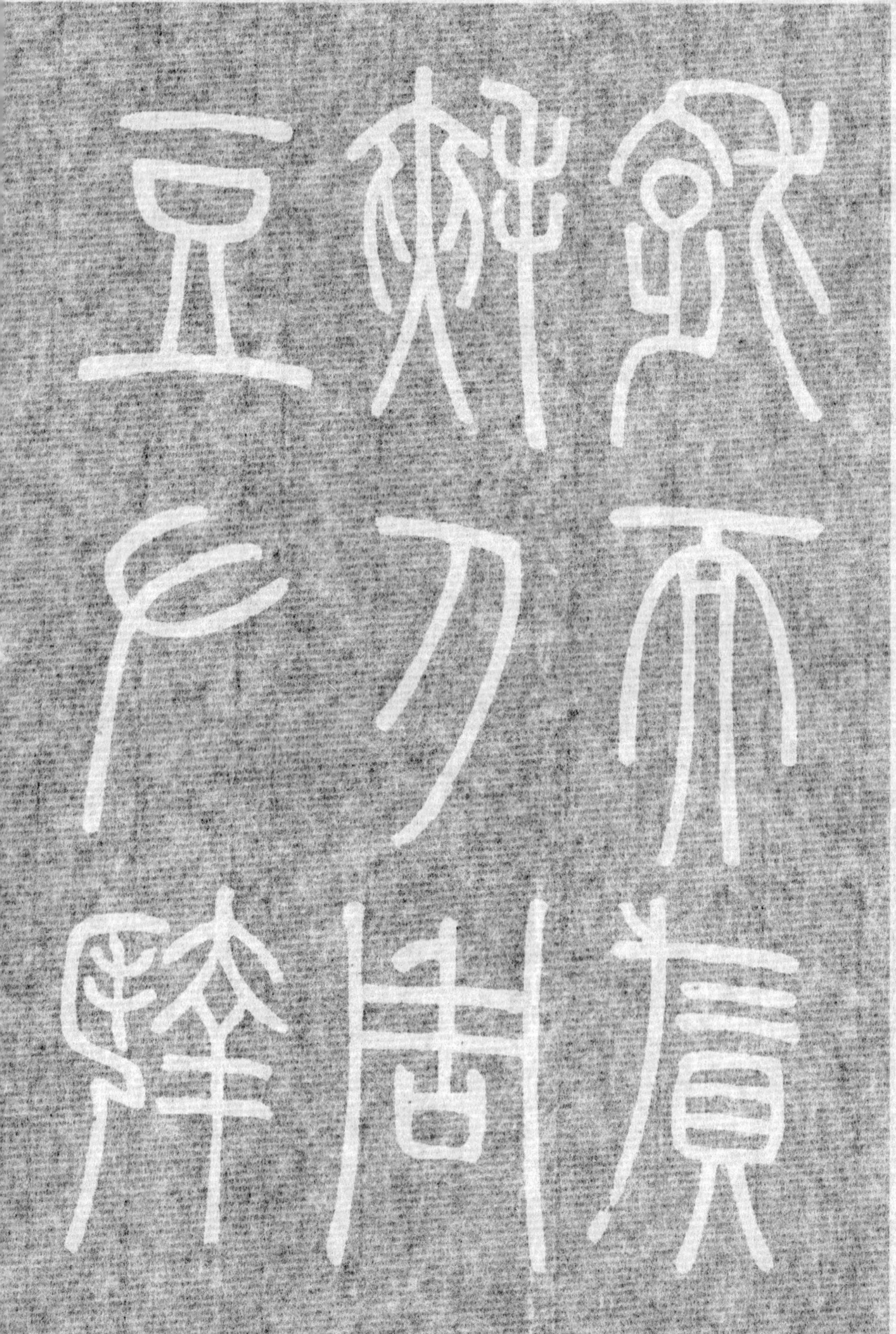

弟子職

齒相要
坐必盡
席飯必

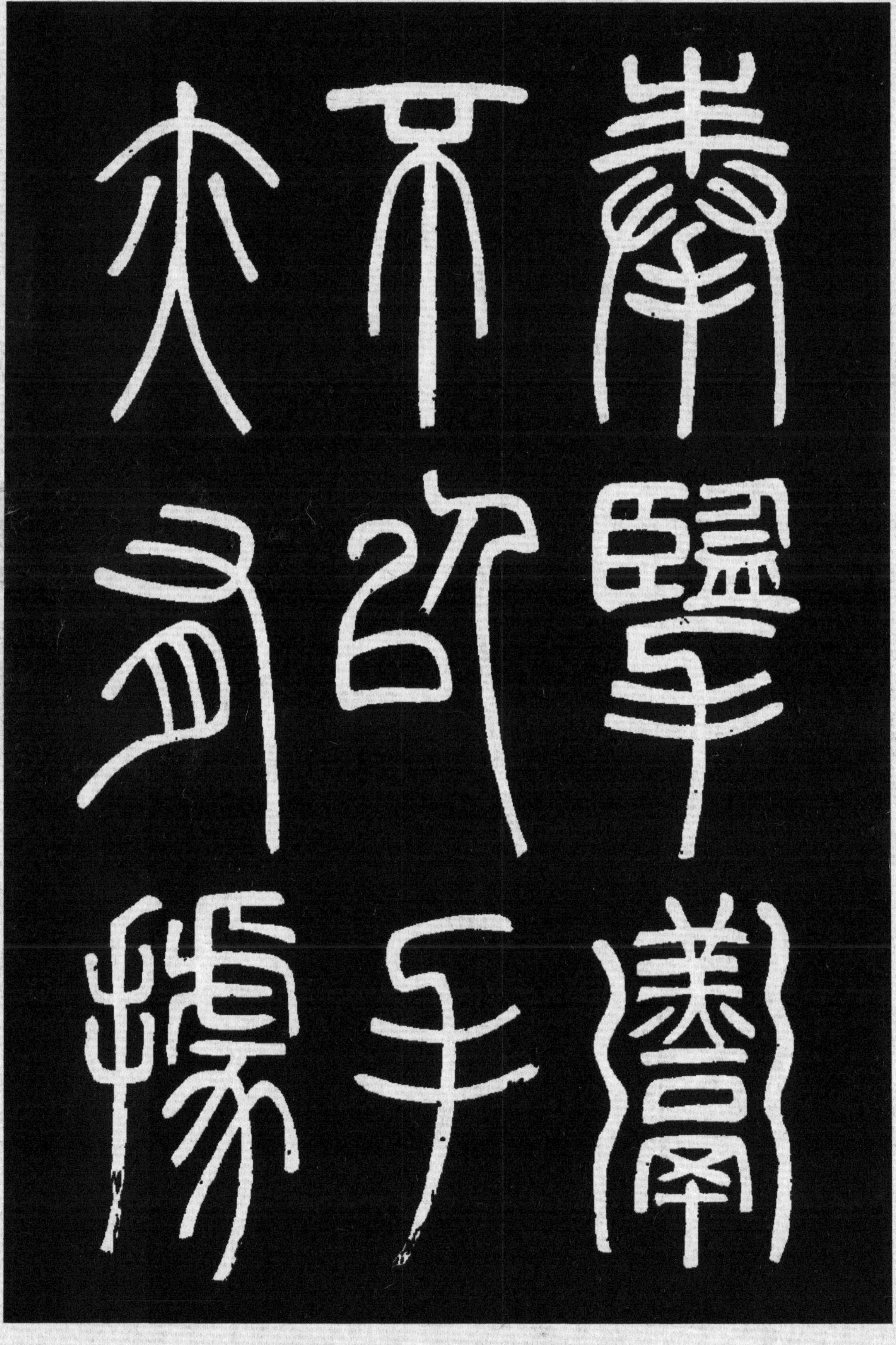
奉擥羹
不以手
亦有據

大長[illegible]
不以子
奉學[illegible]

[illegible]餘則
坐必盡
齒眛[illegible]

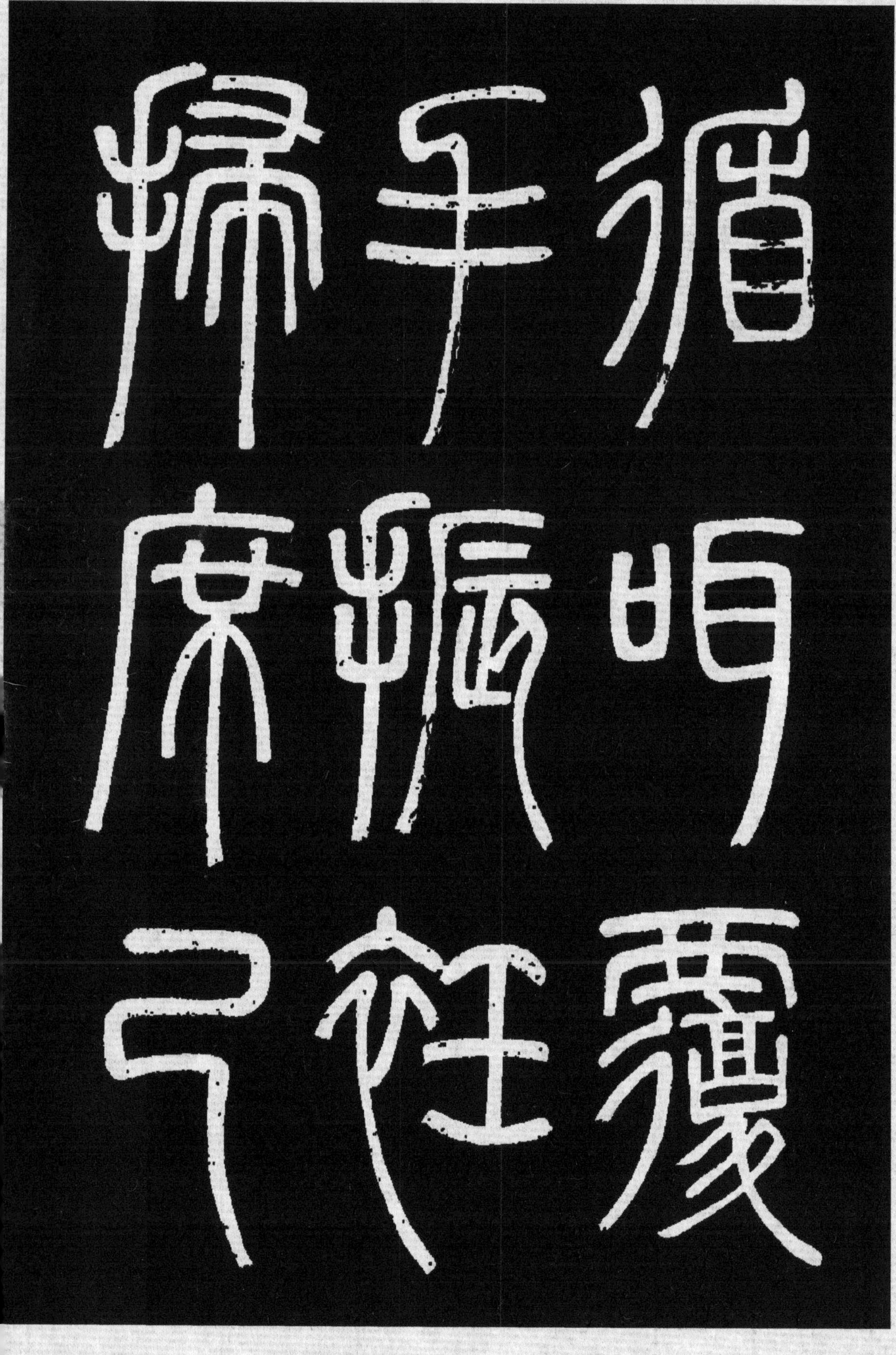

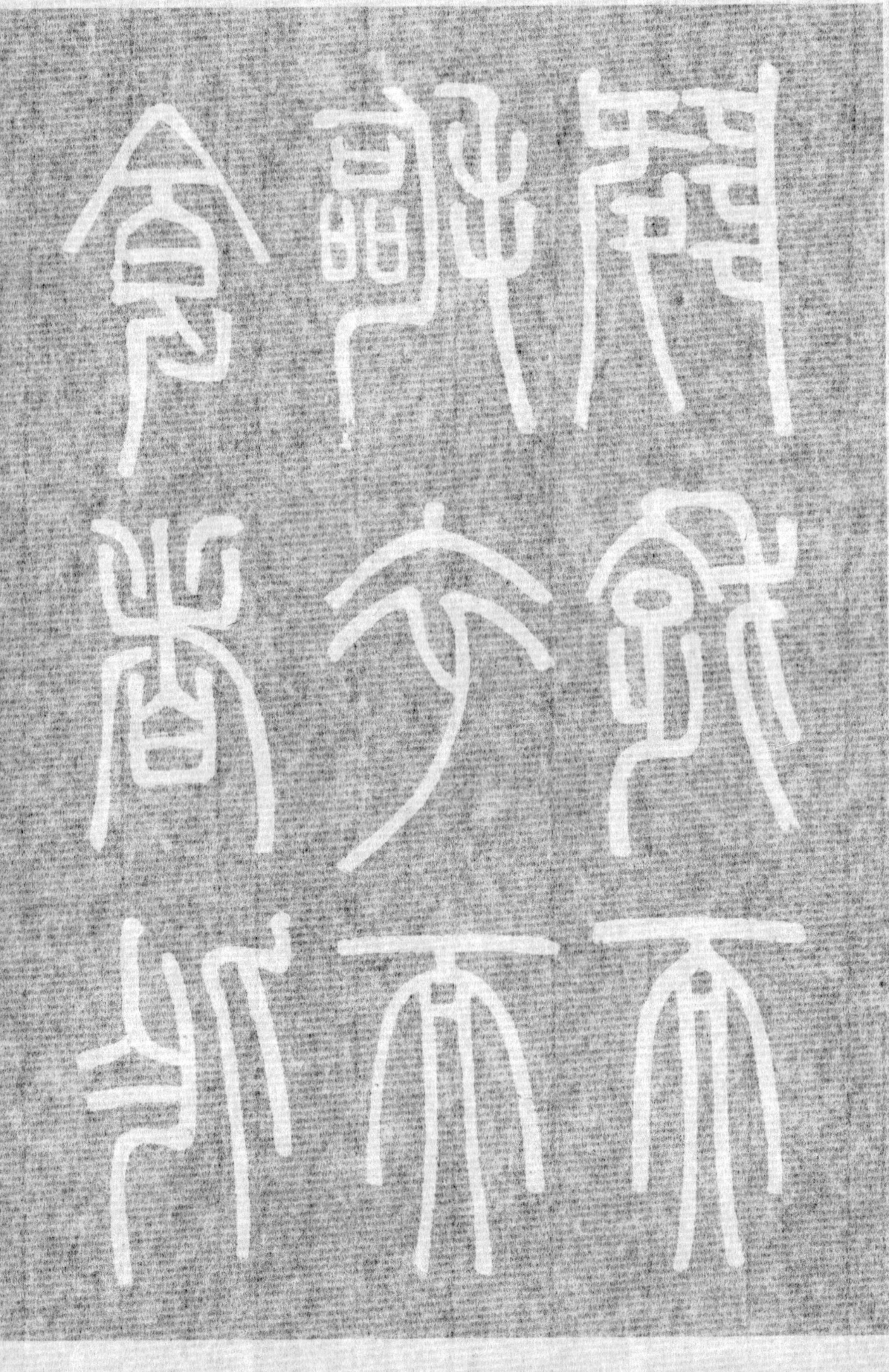

第十篇

朱子瑞

六八

六寸

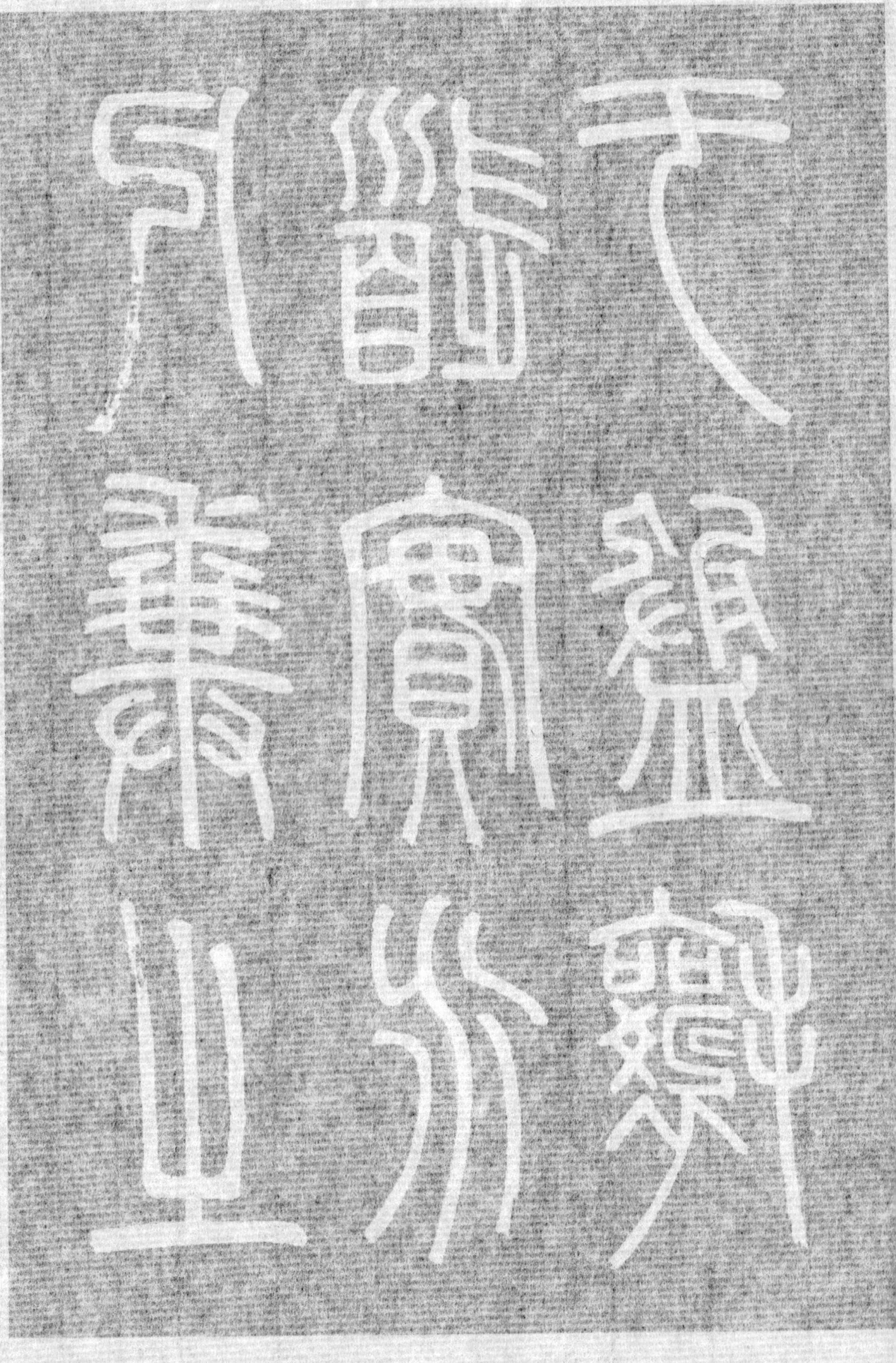

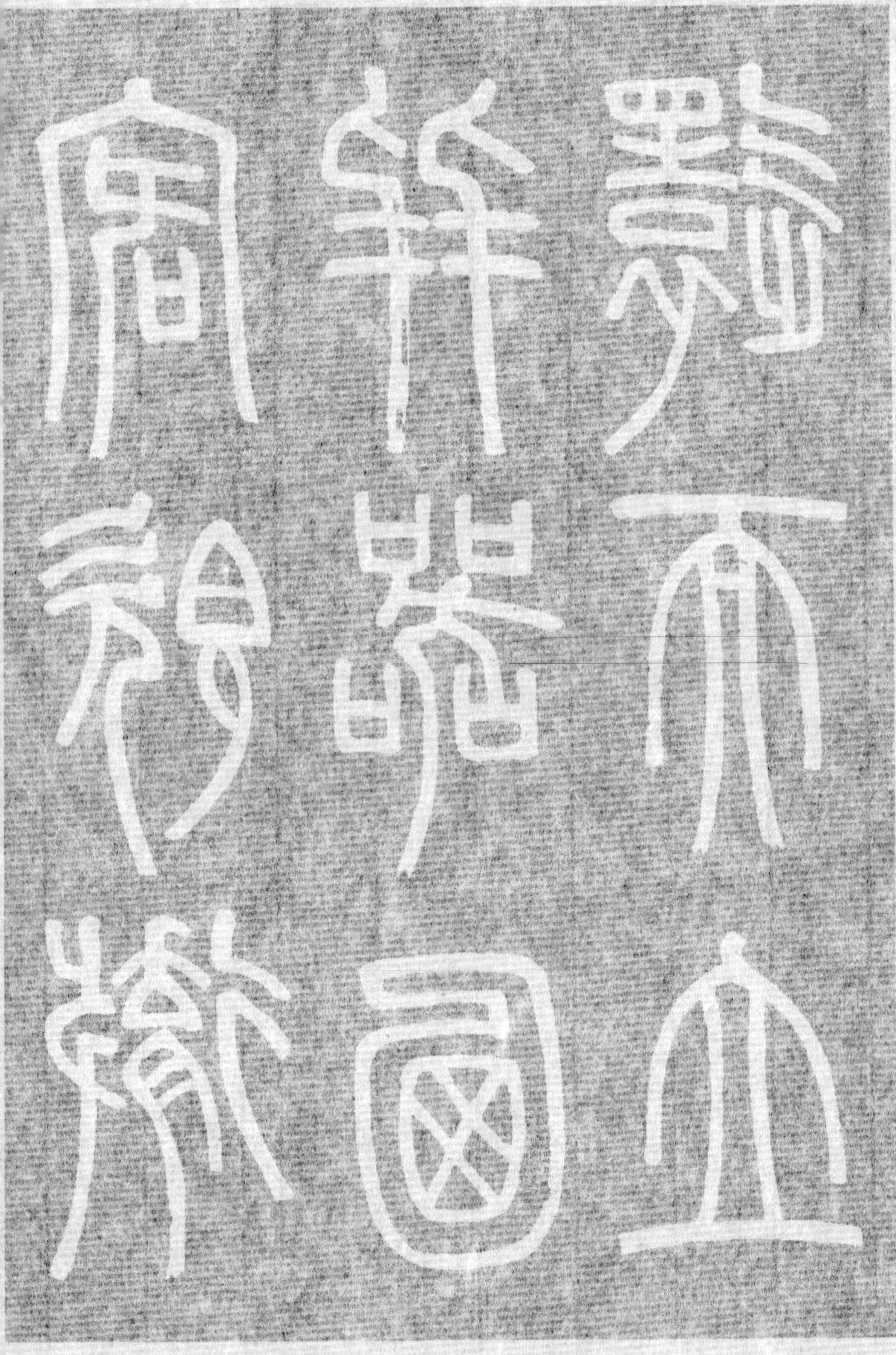

菁千鄰

菜千羸

夂〇
六比

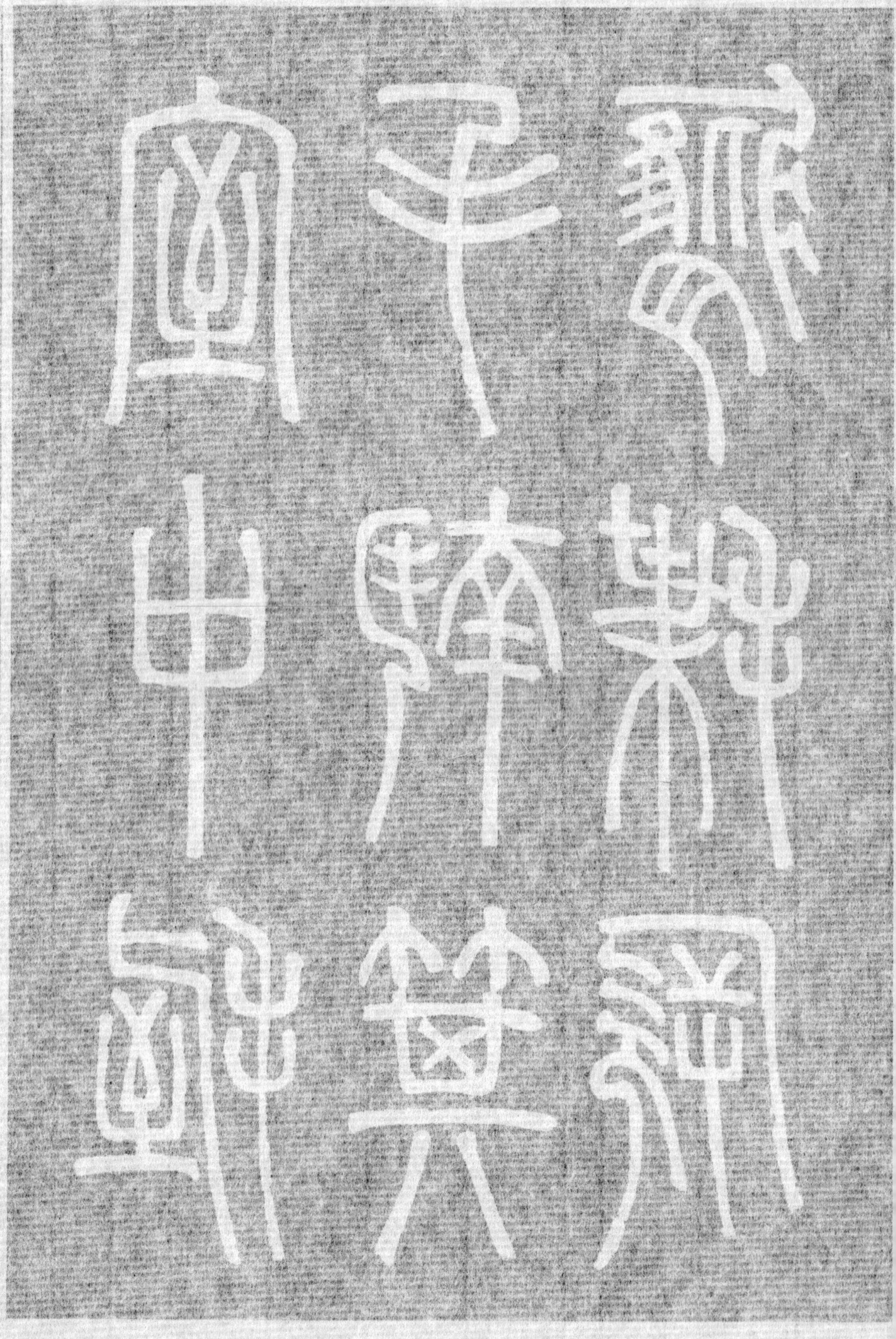

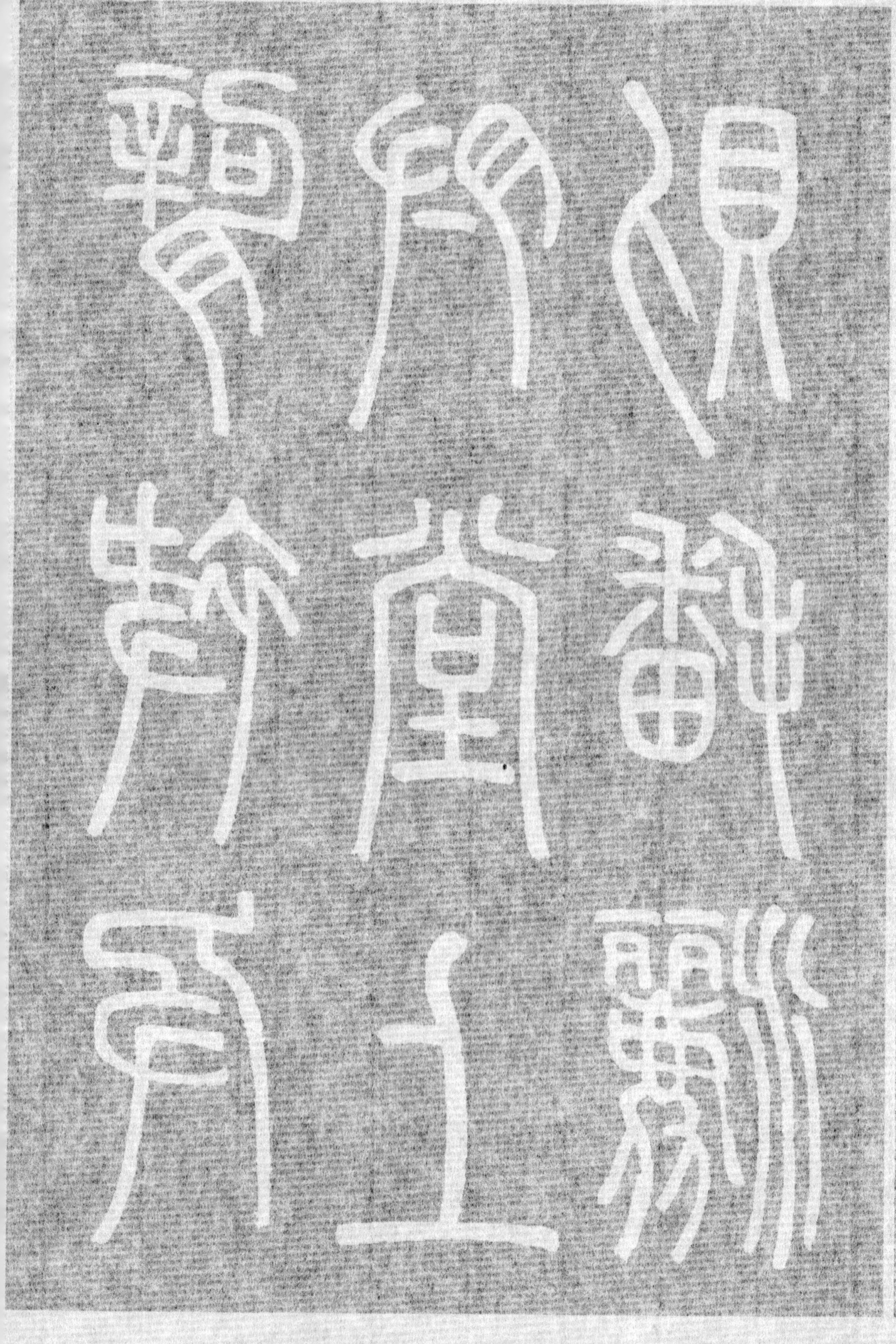

中

其户勾

尸不帝

倚承不

亏下頃親

户箕親儀不帝

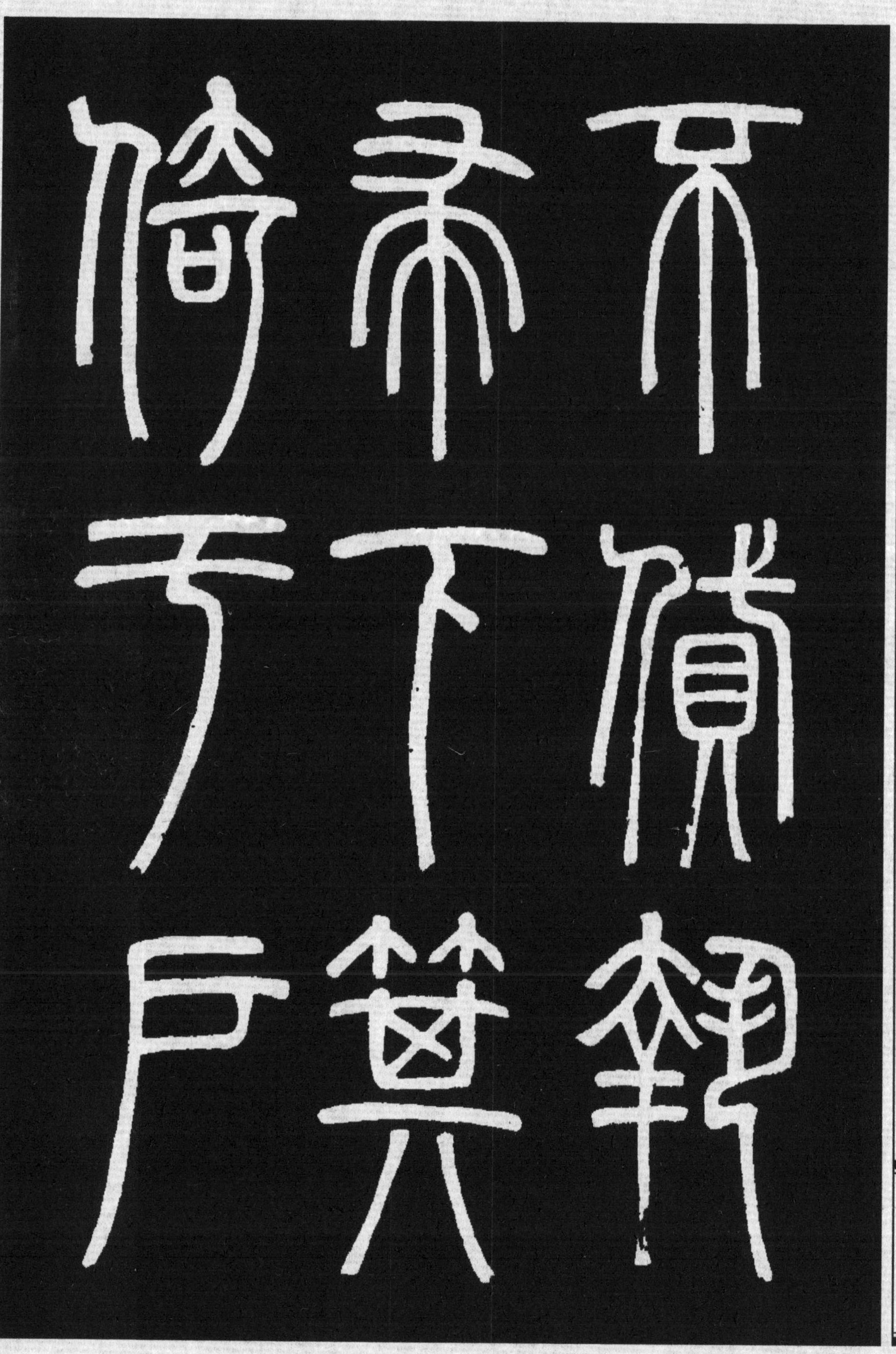

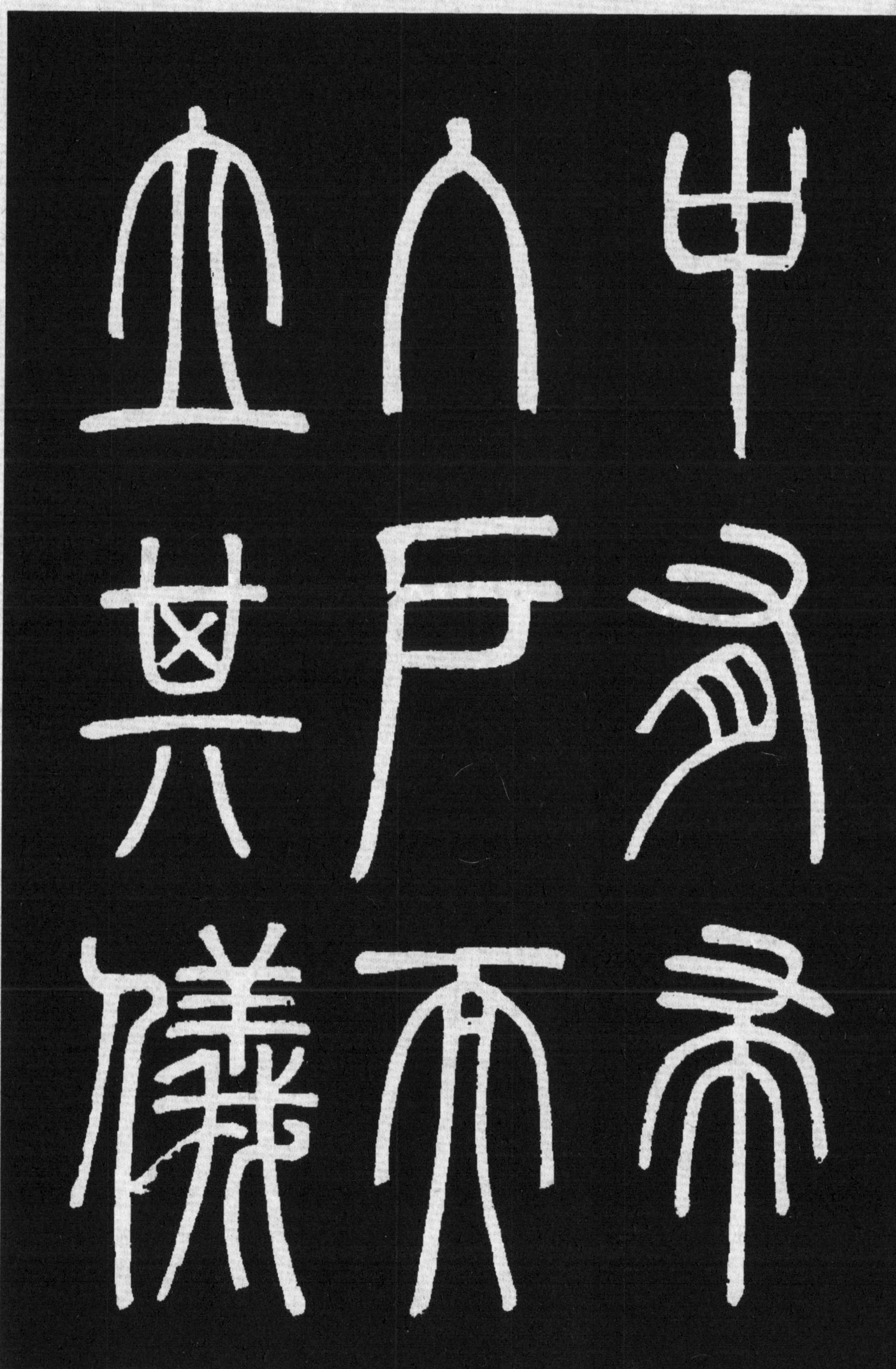

篆書選　篆書選

七二　七十

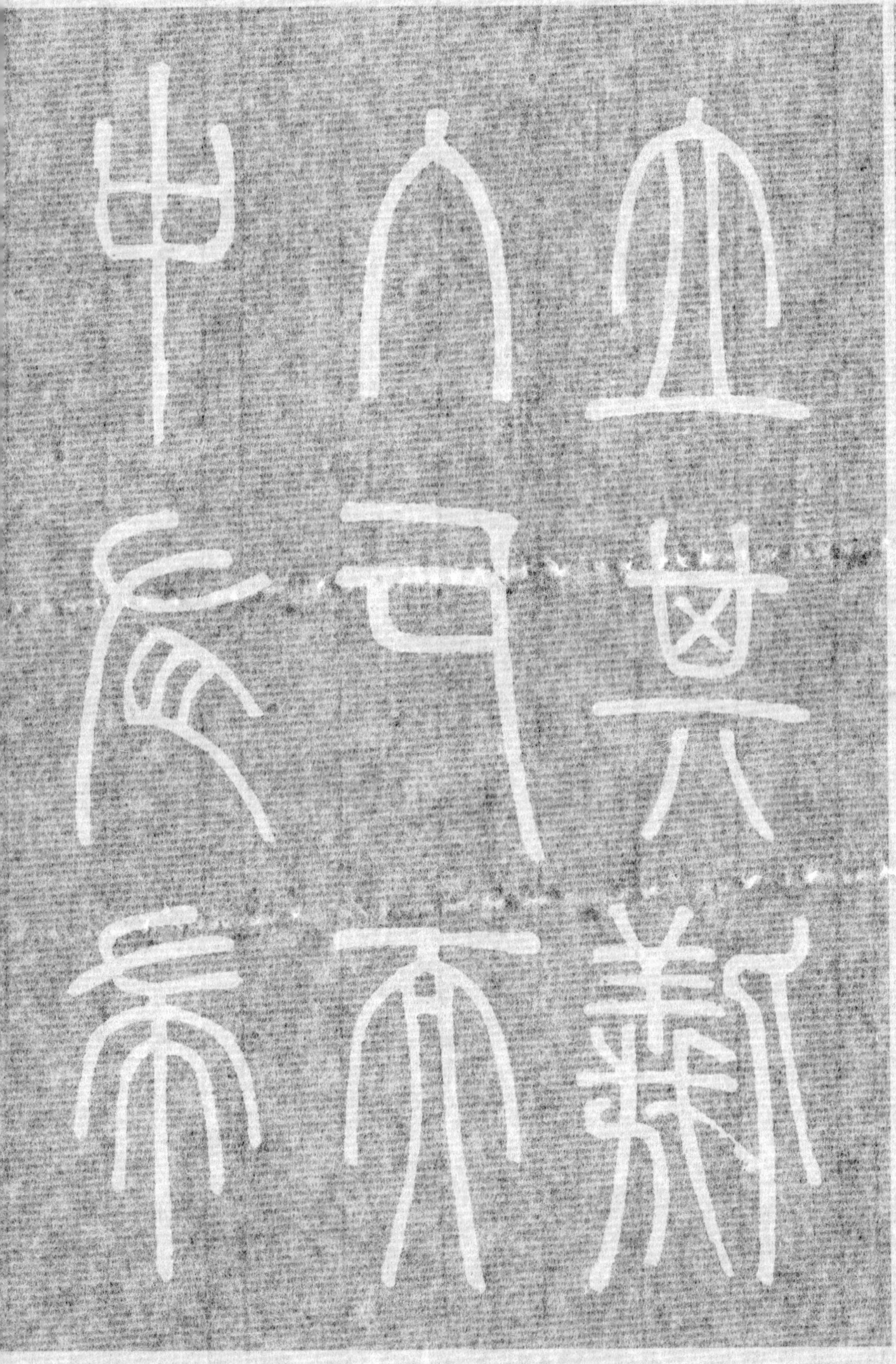

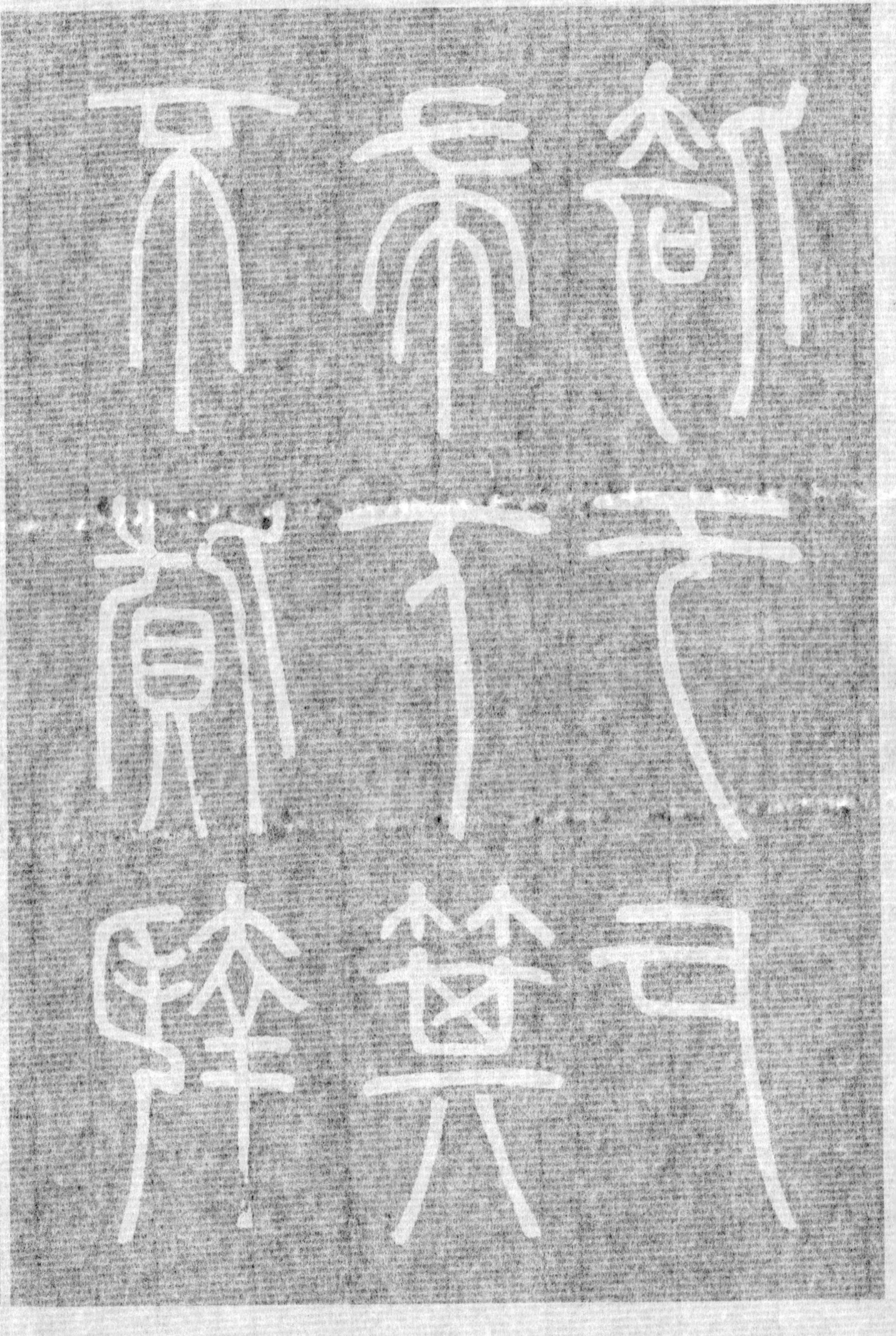

澄古映書書法集

第千期

第千期

四三
之

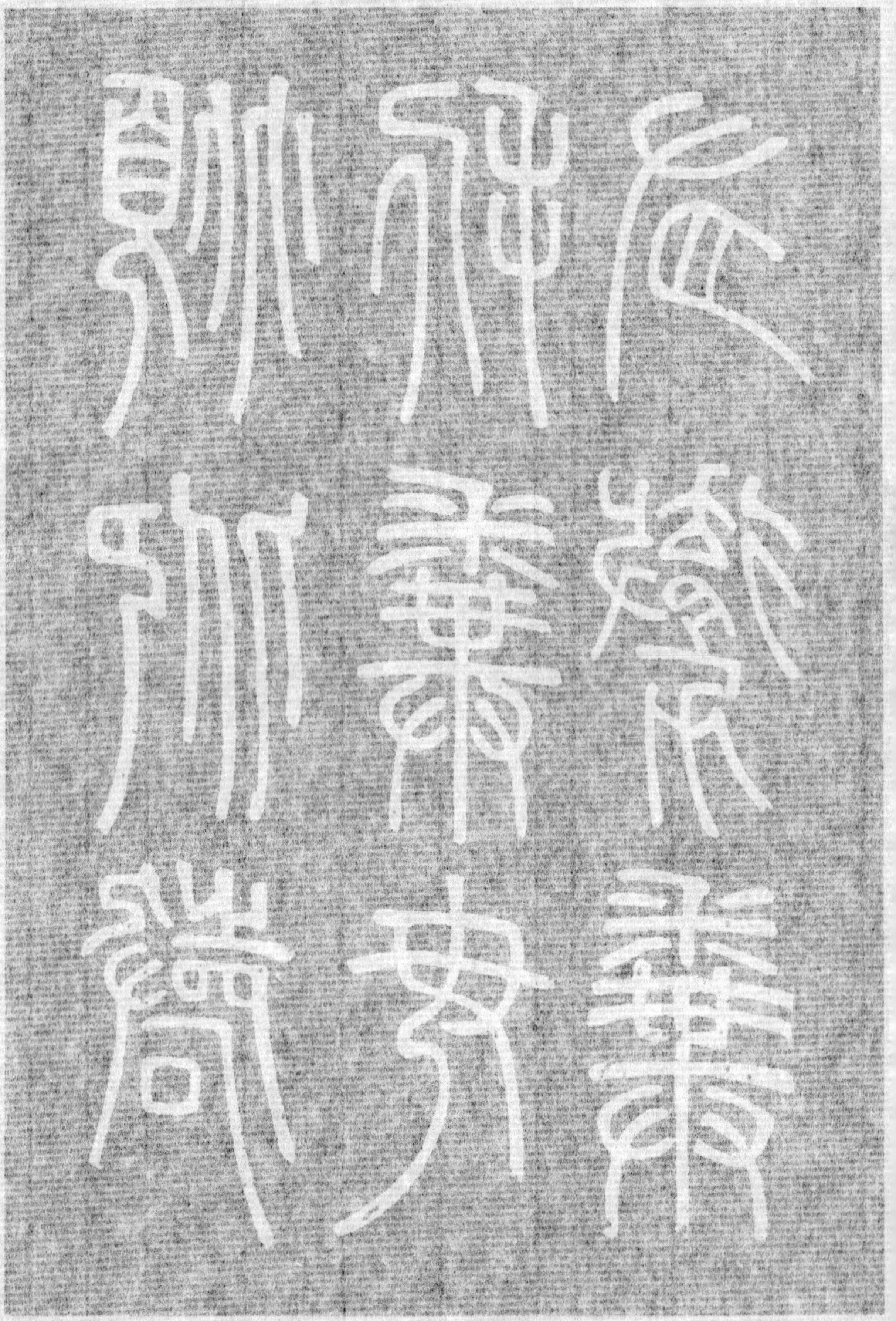

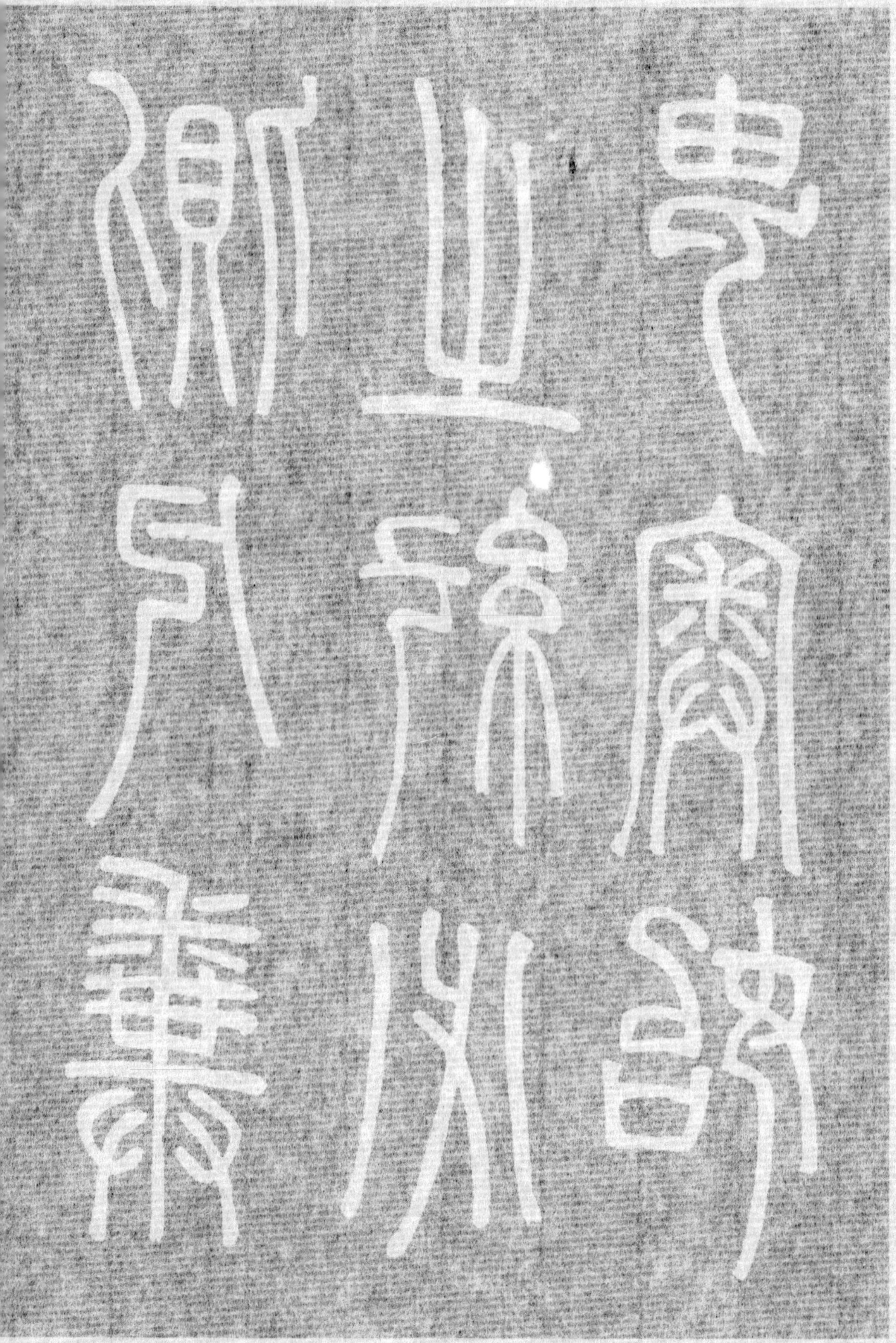

第十編　第七冊

六五

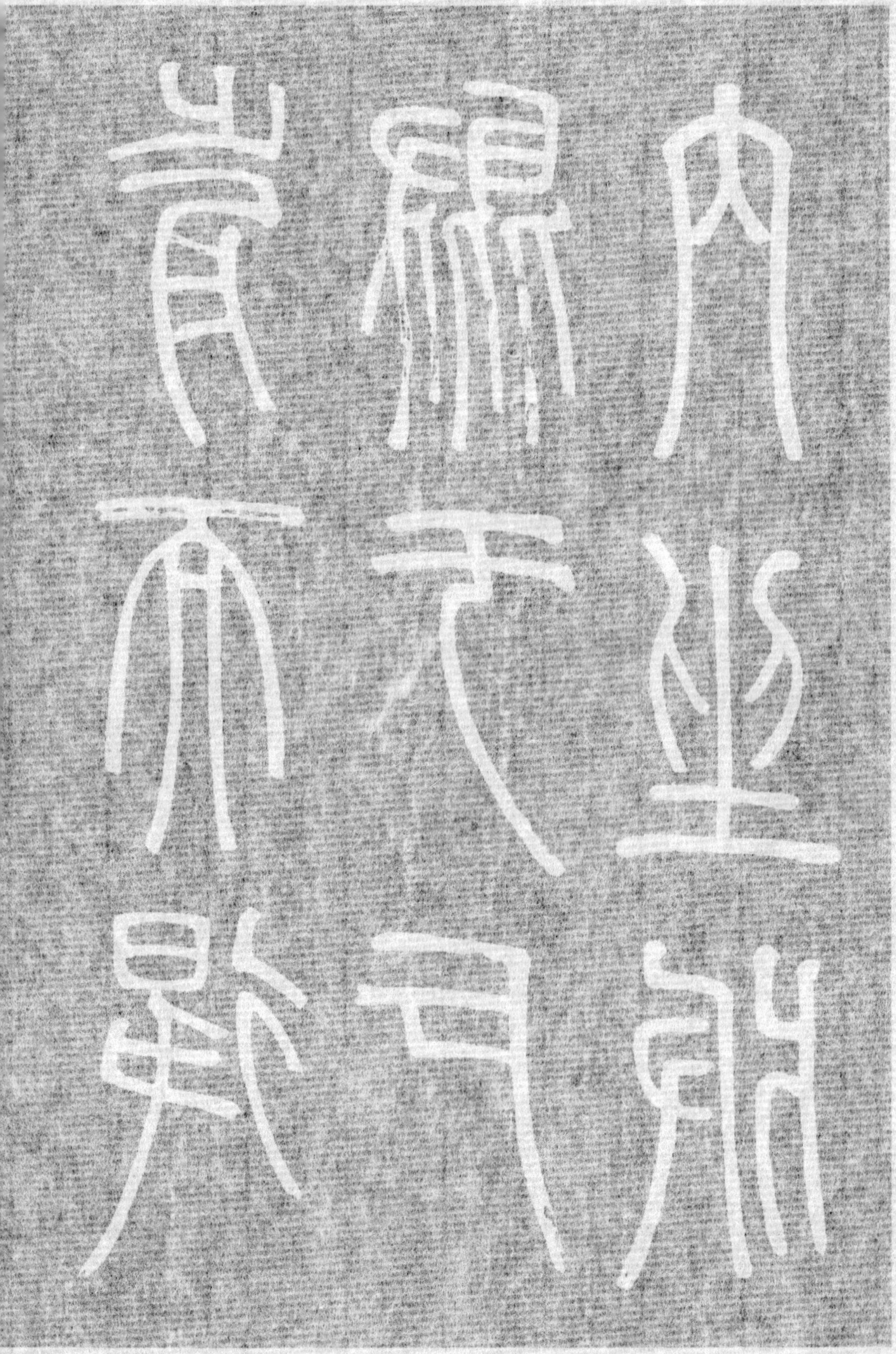

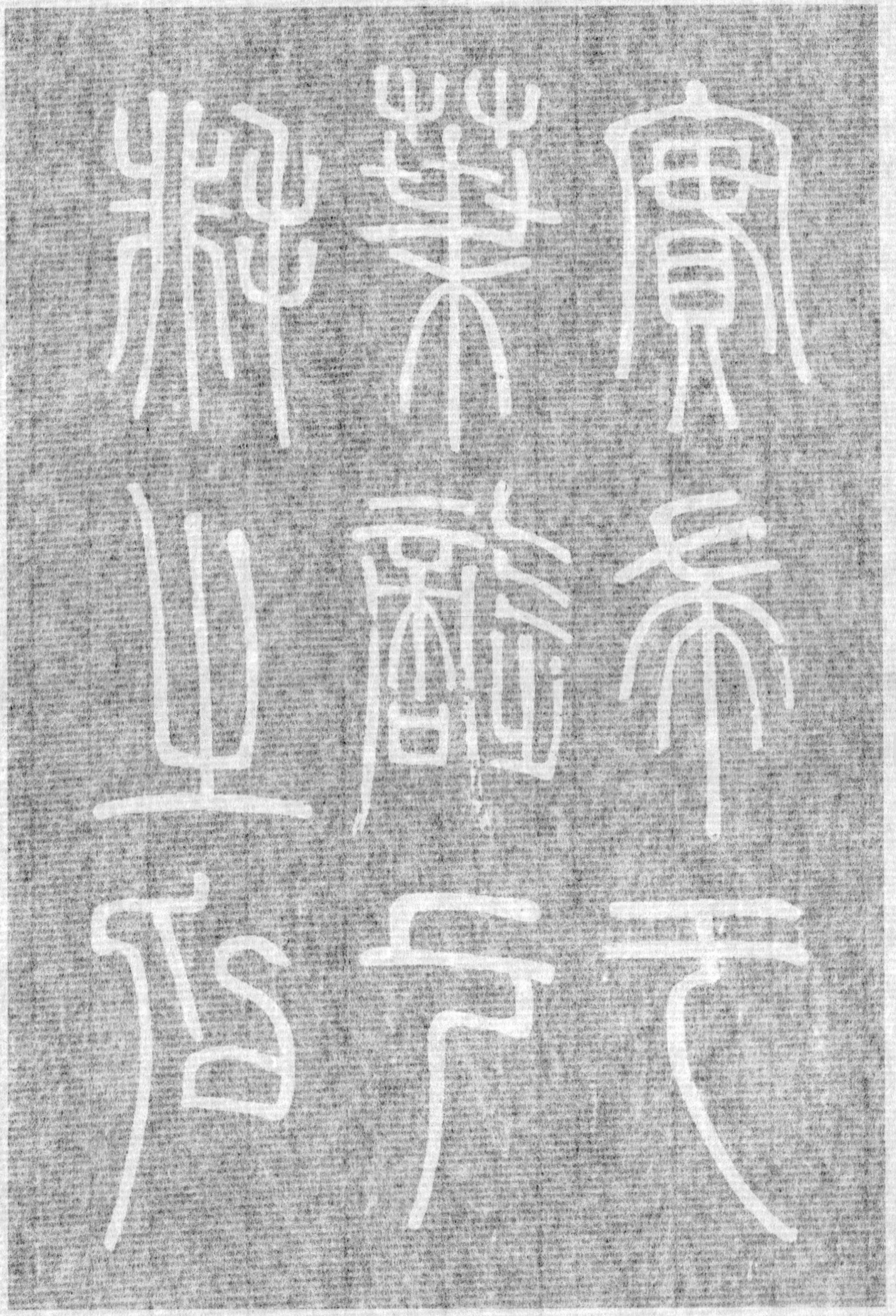

興而辭
[illegible][illegible]圖
箕先生

[illegible]坐鄉
[illegible]顏心
坐執而

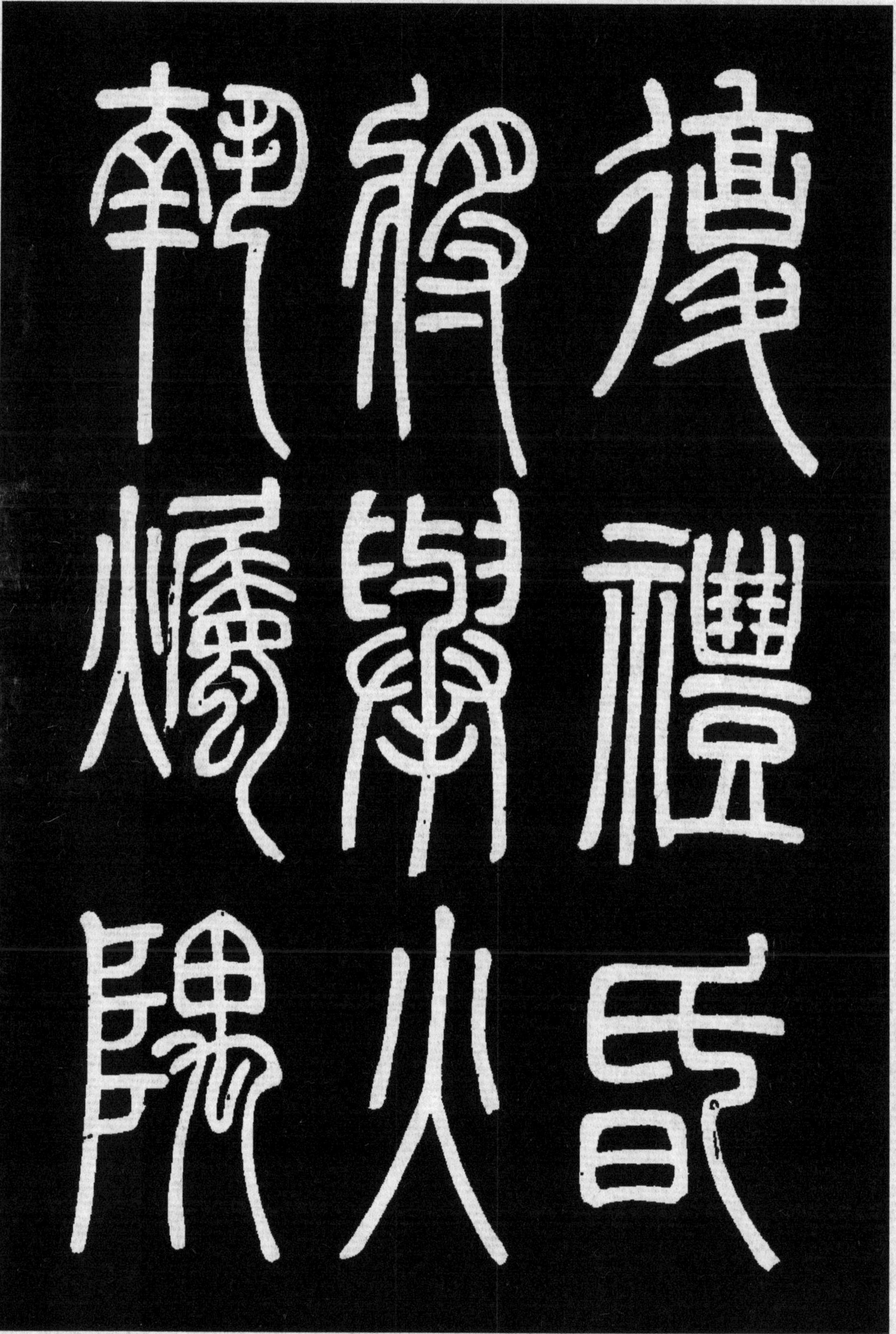

第七卷

第七輯

八〇

八五

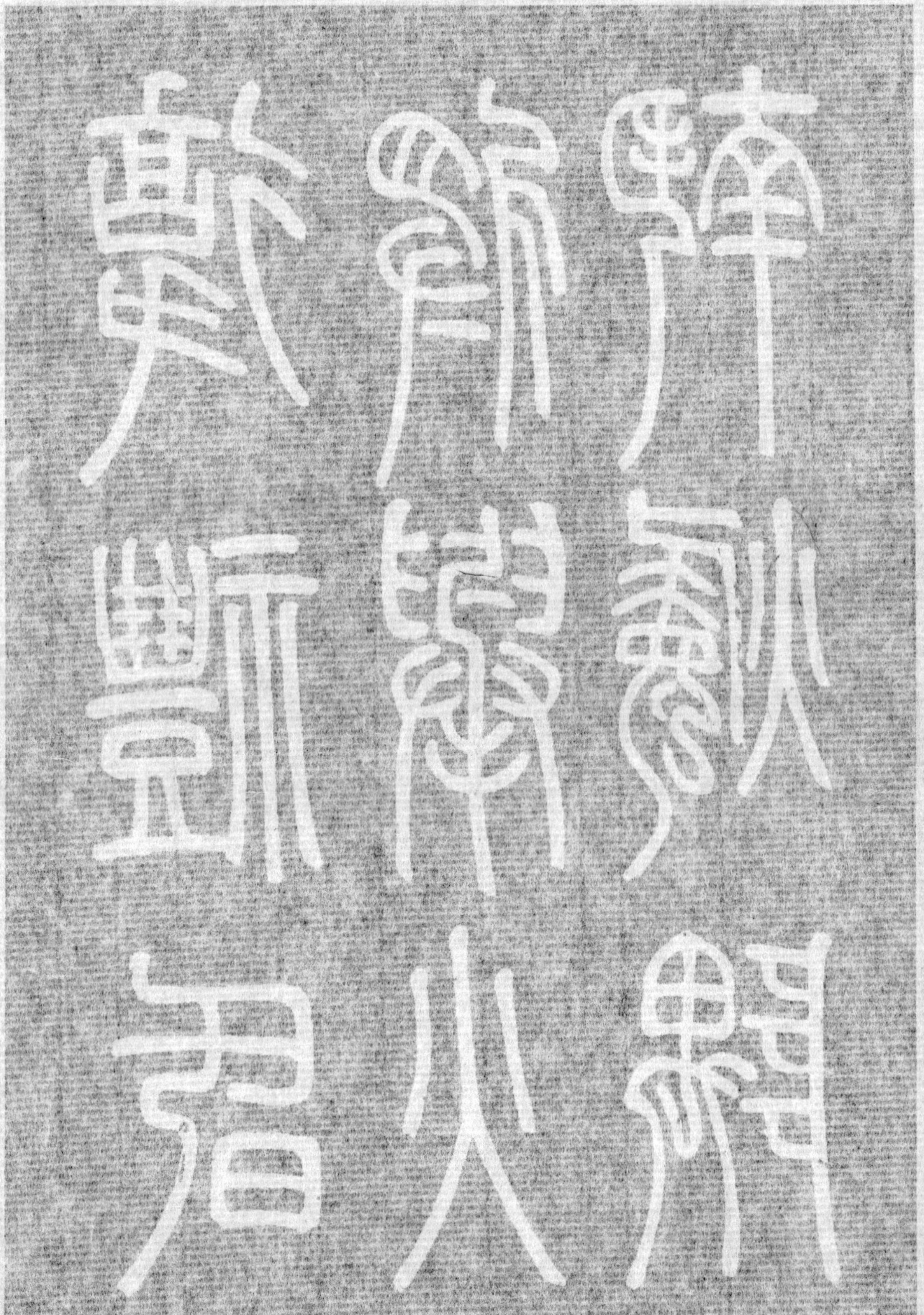

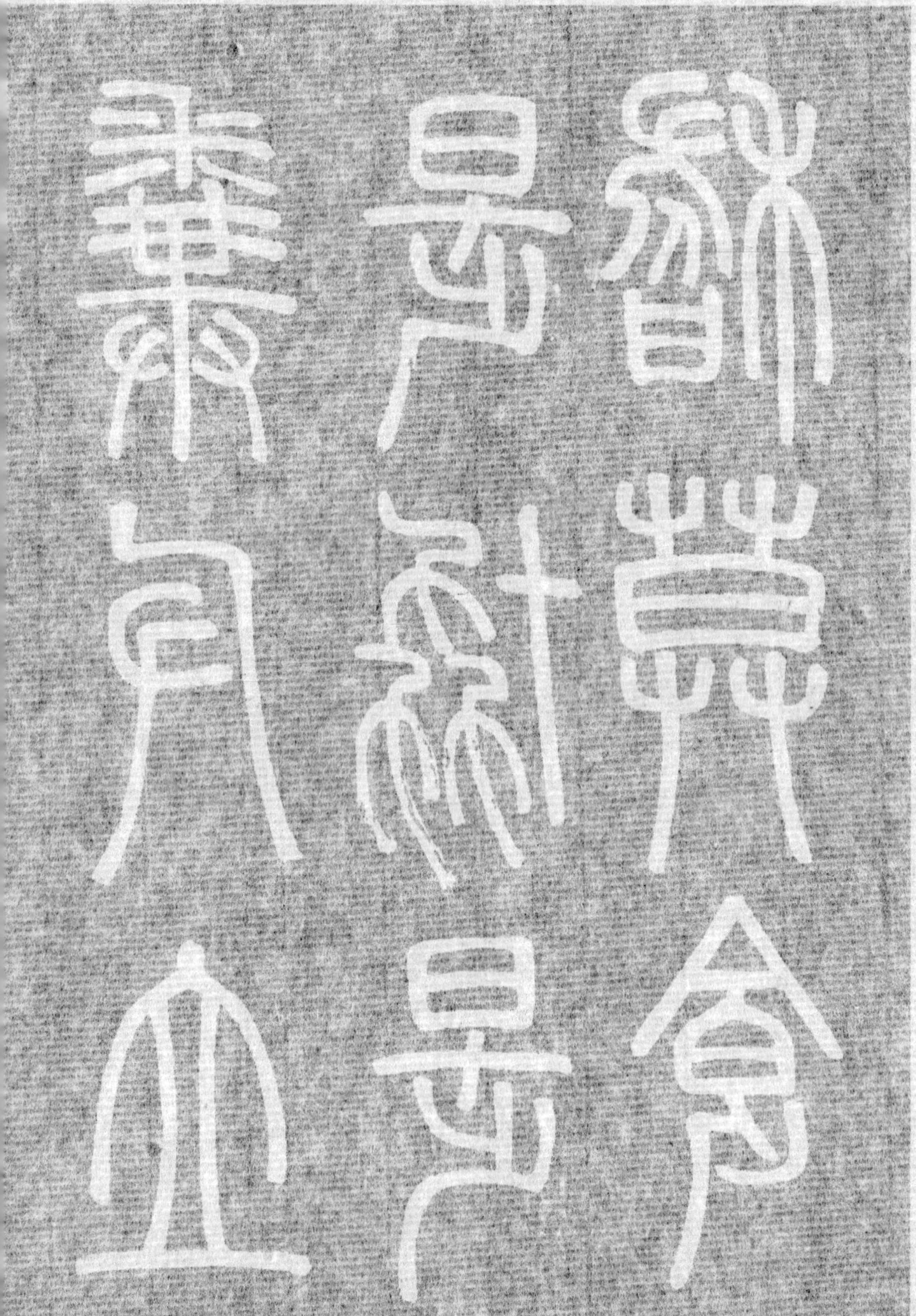

弟子職

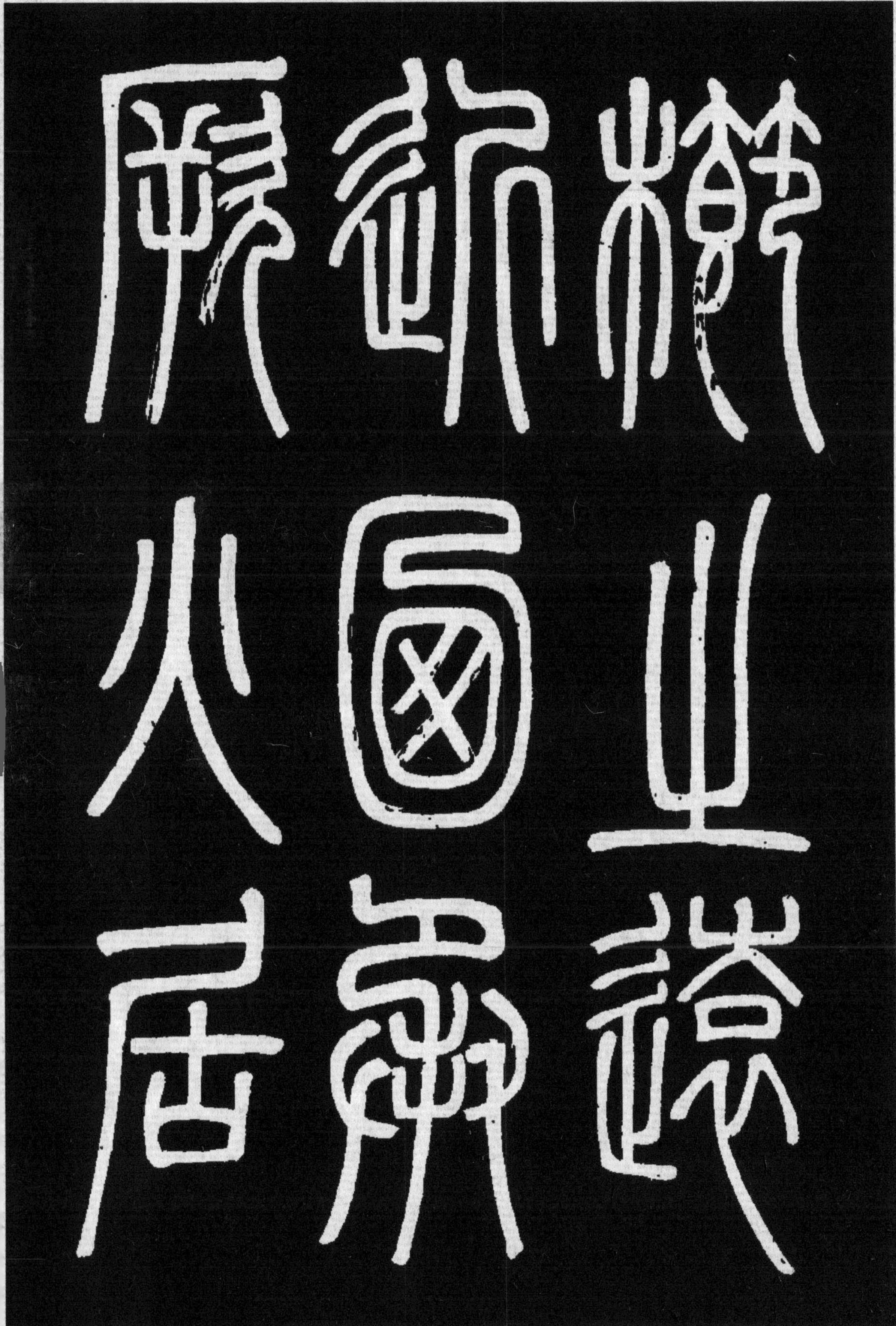

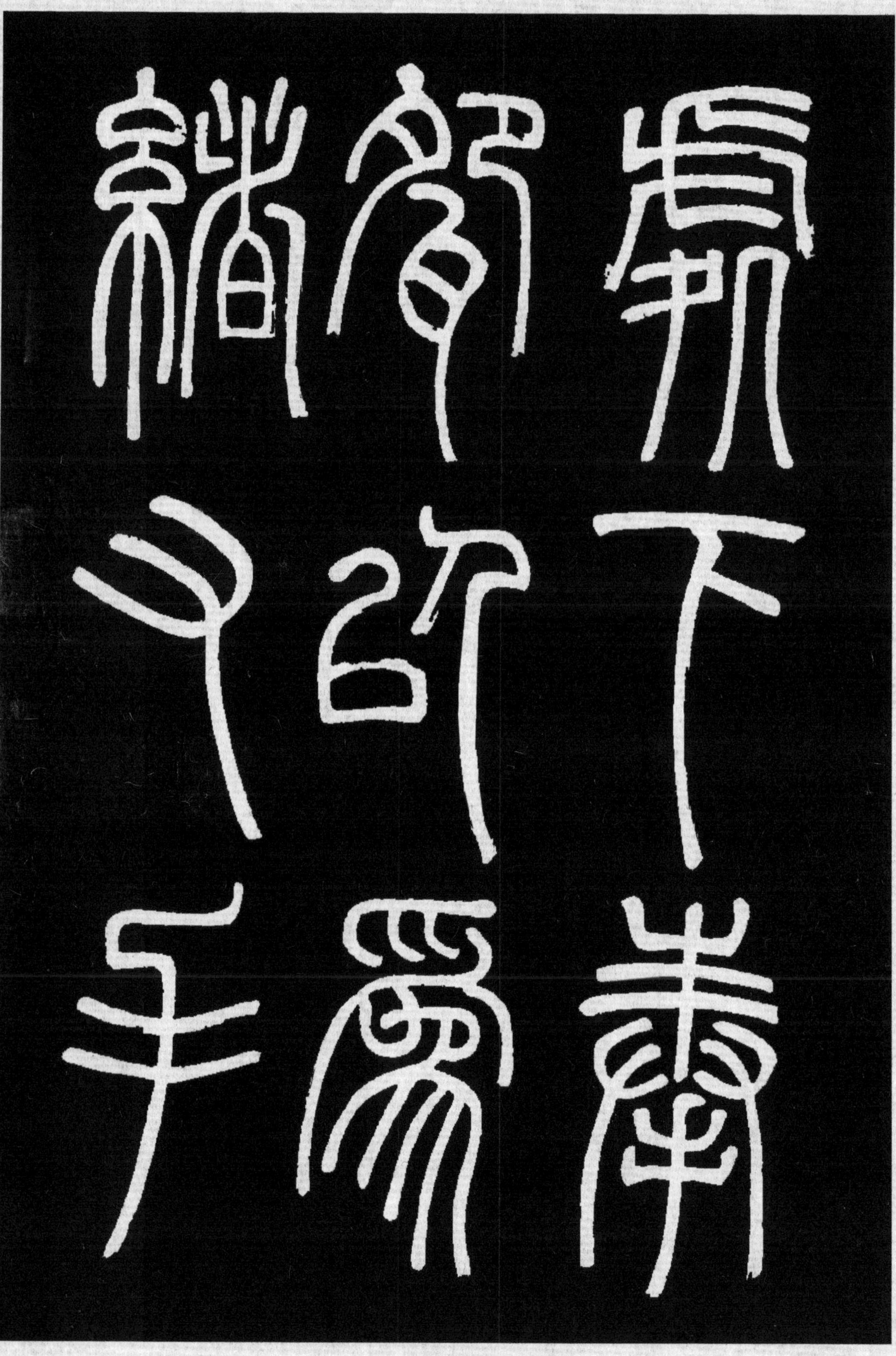

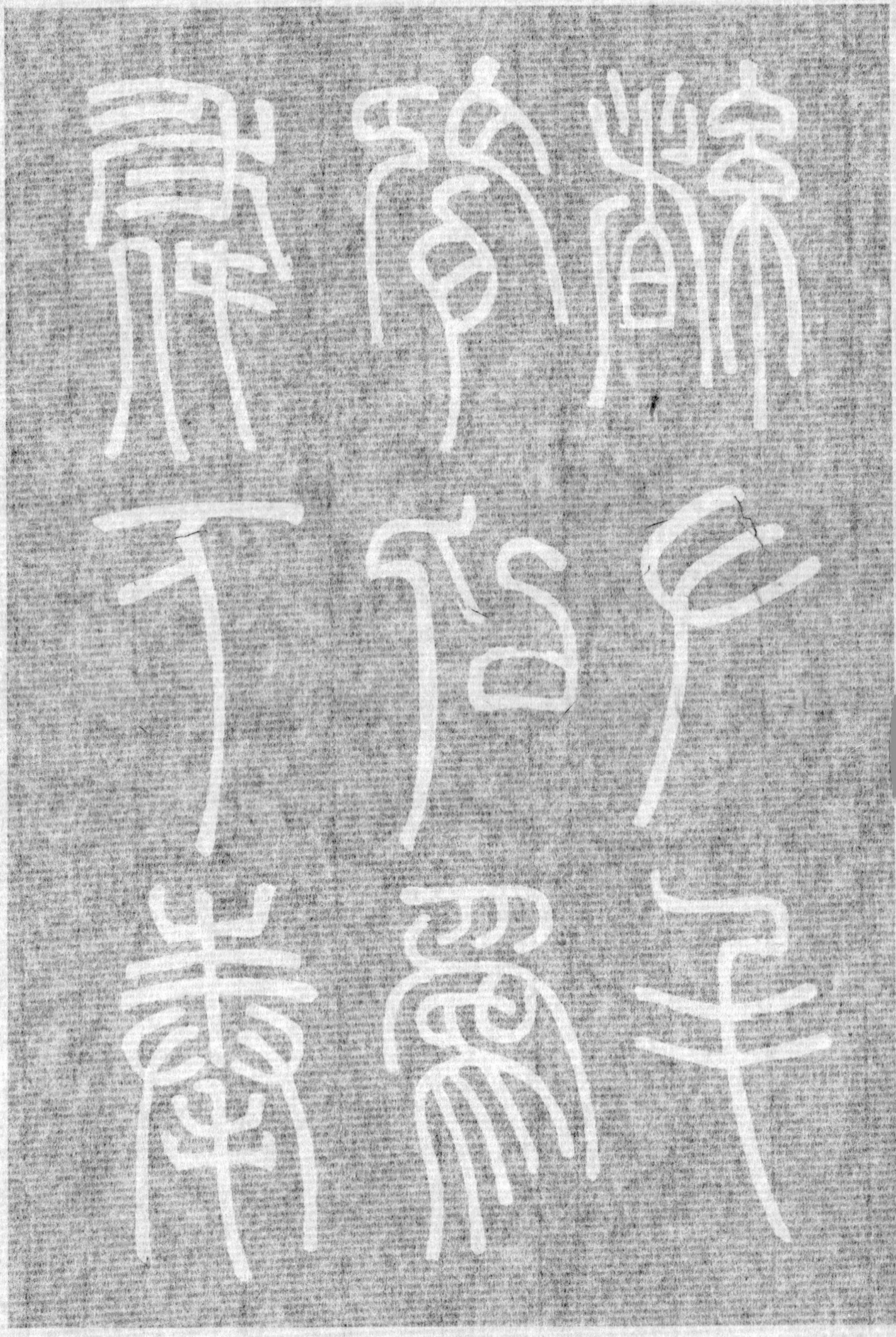

鄧石如書法集

弟子職　八四

弟子職　八三

浸石戟清吉集

弟子輝

弟子輝

八六

八正

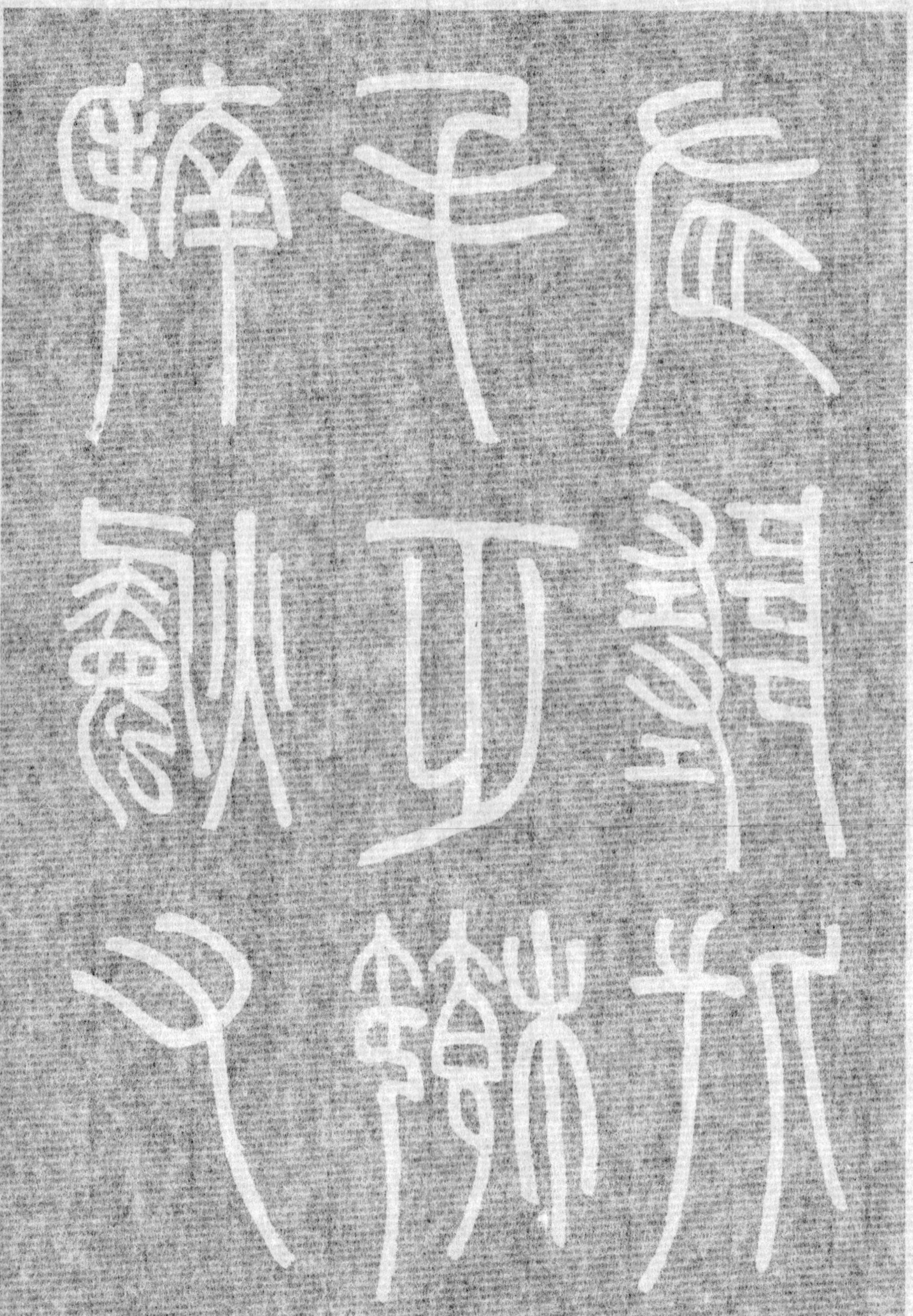

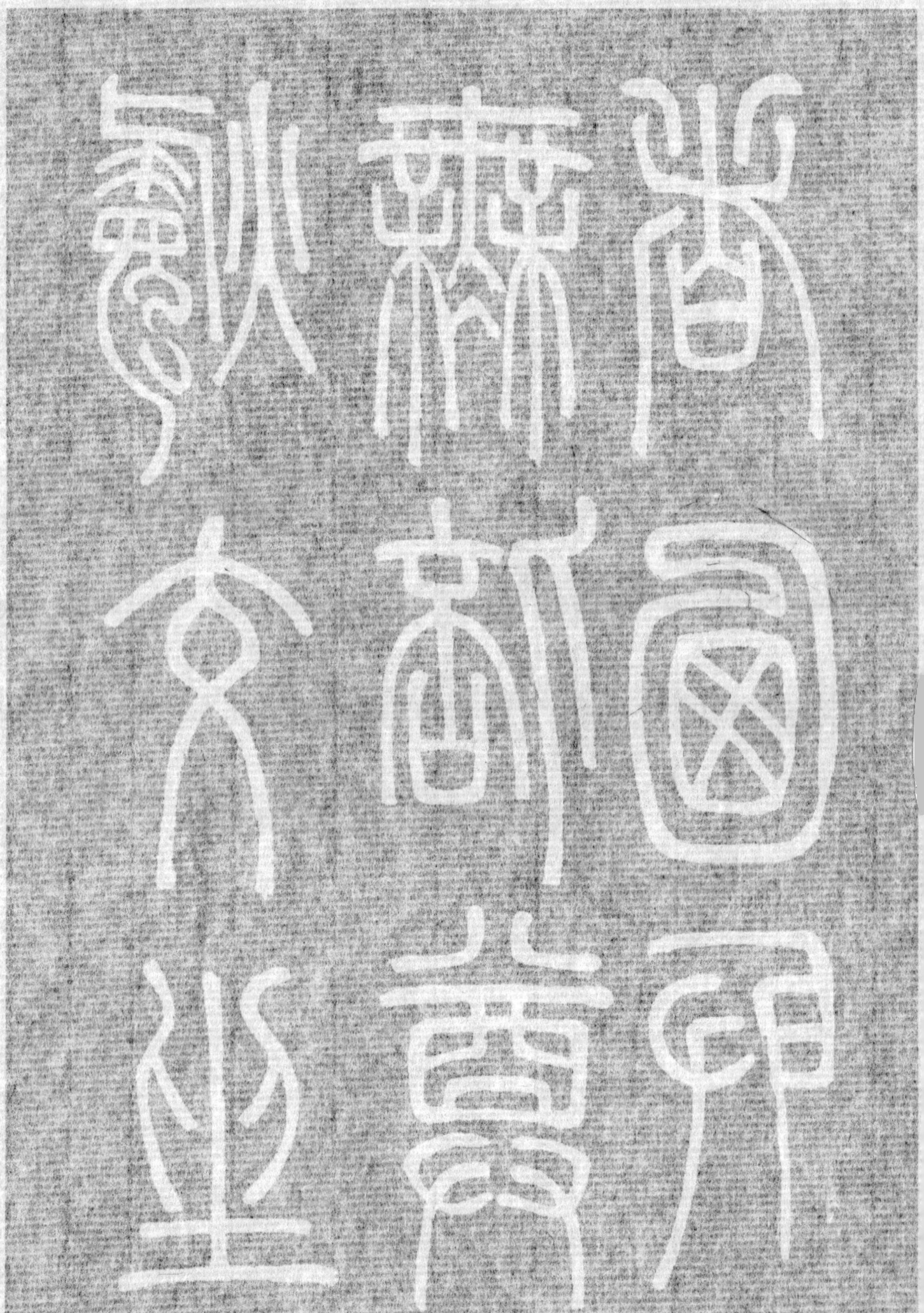

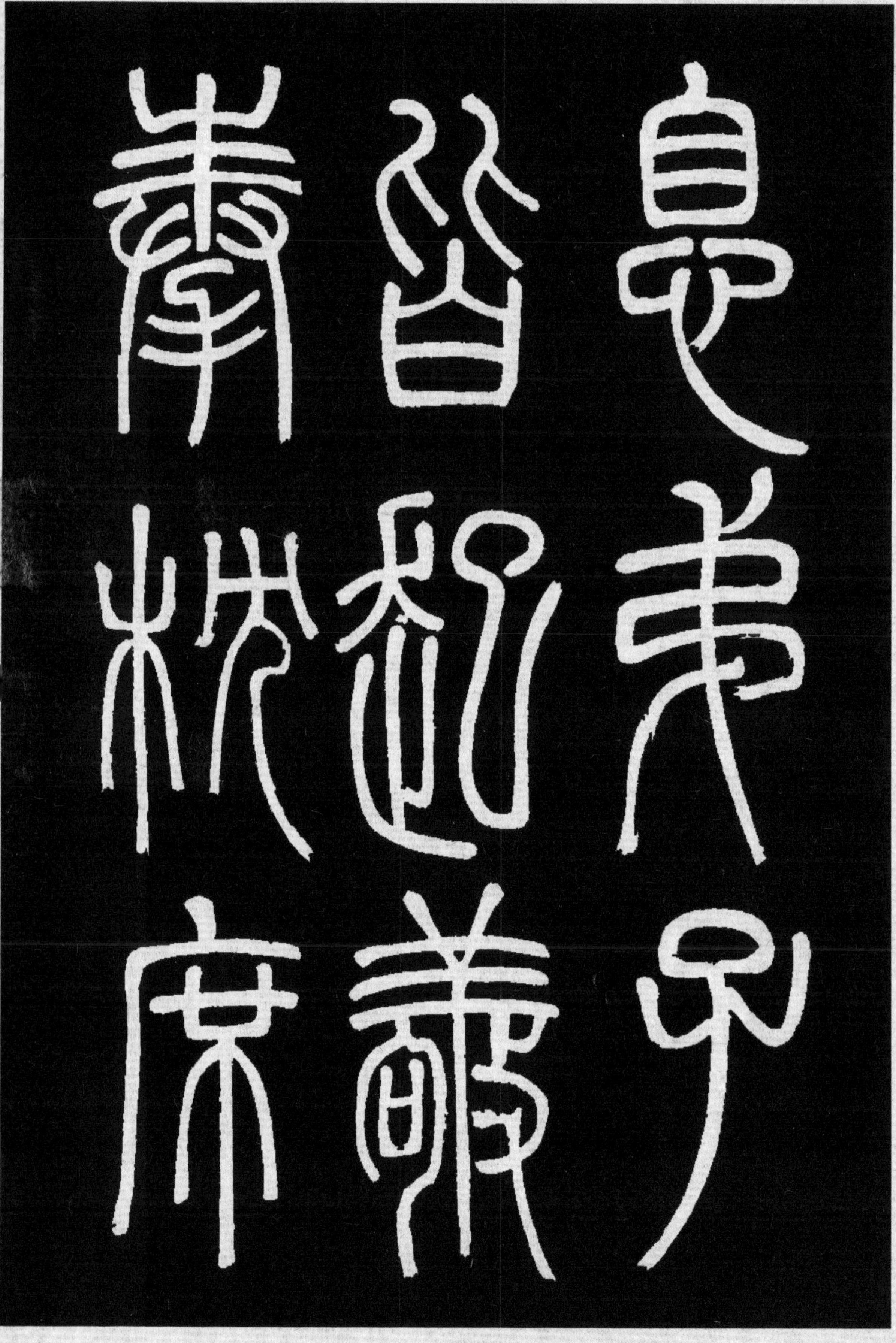

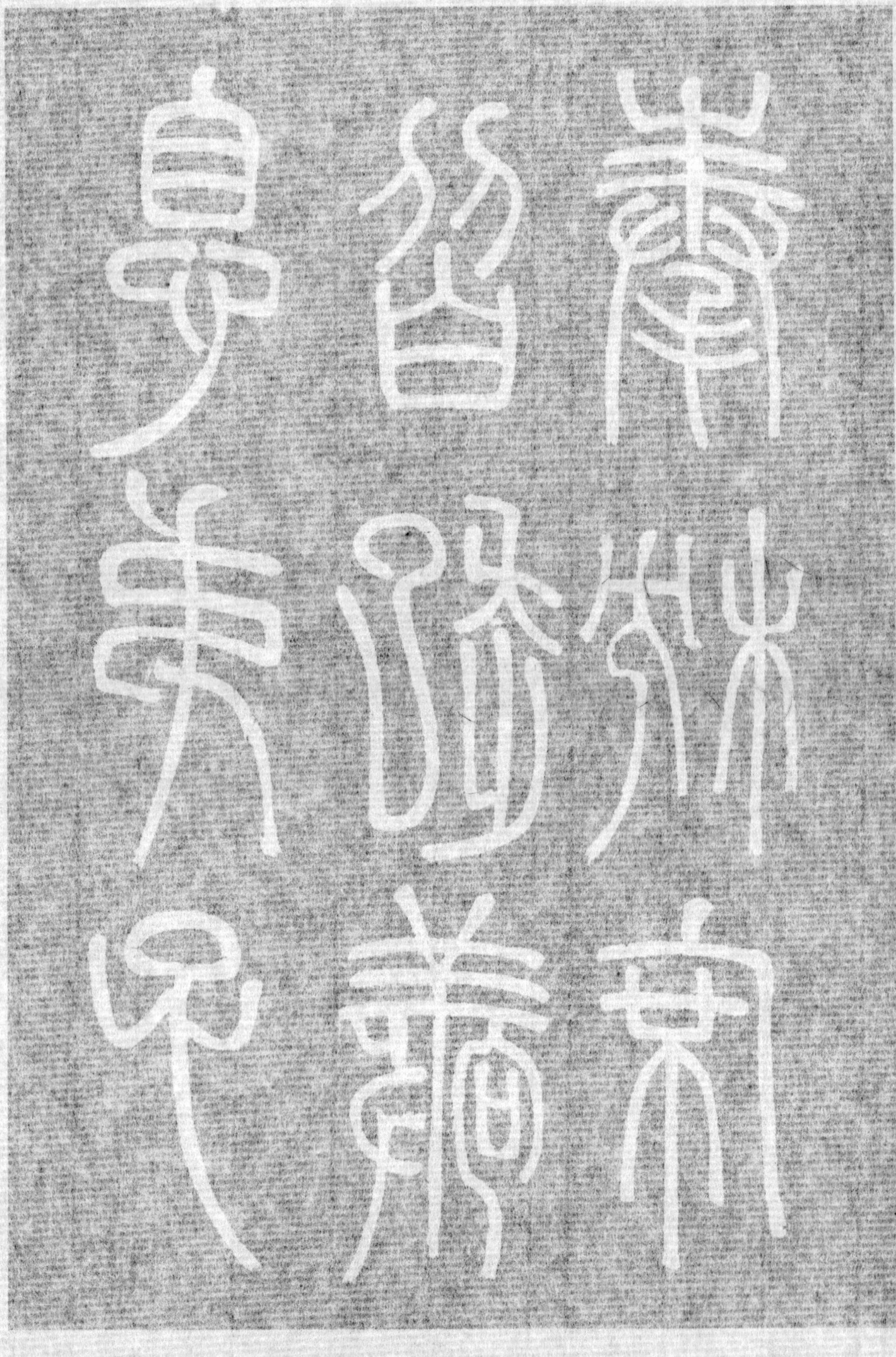

弟子鄉

藥子鄉

九〇

八八

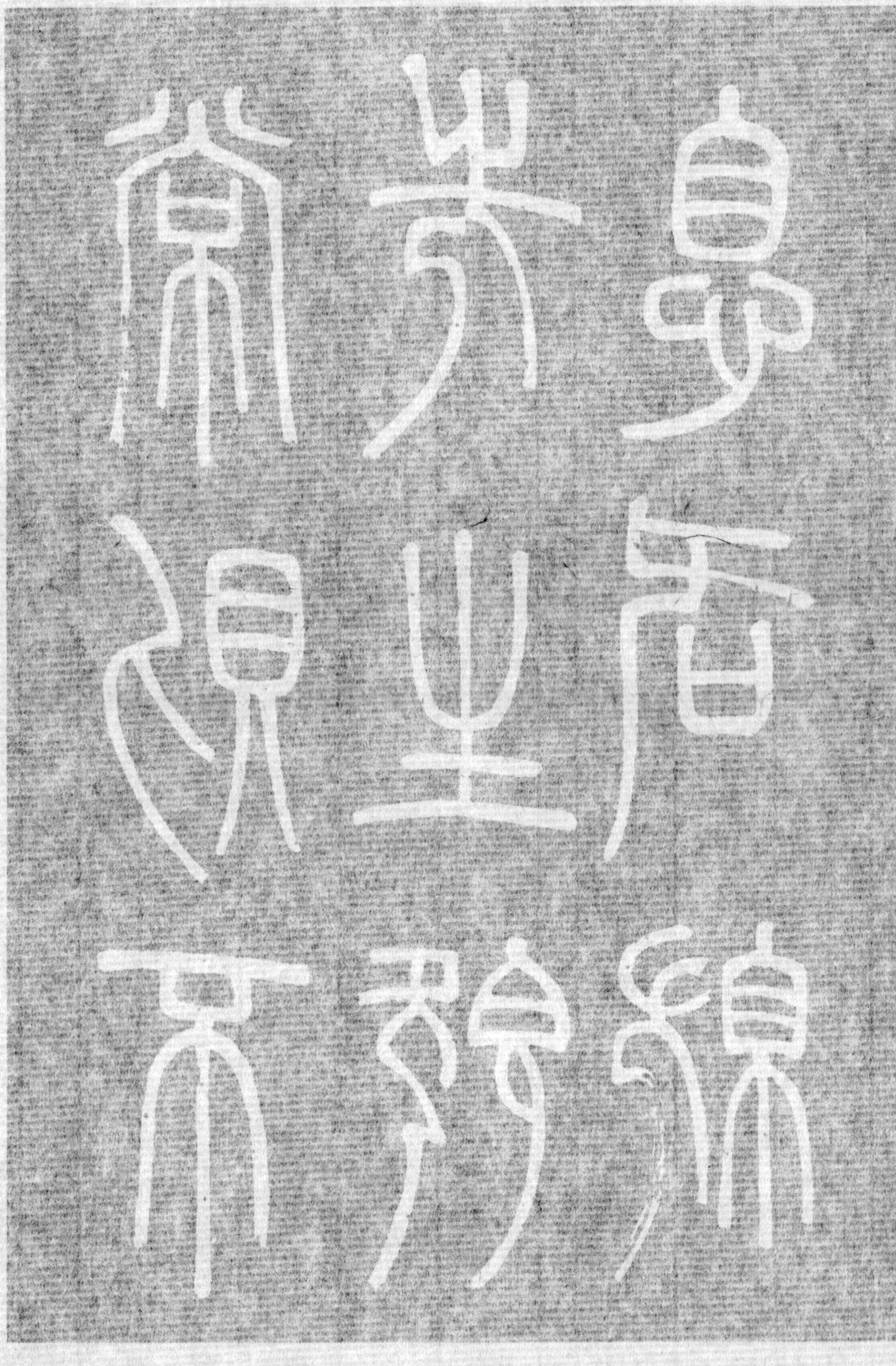

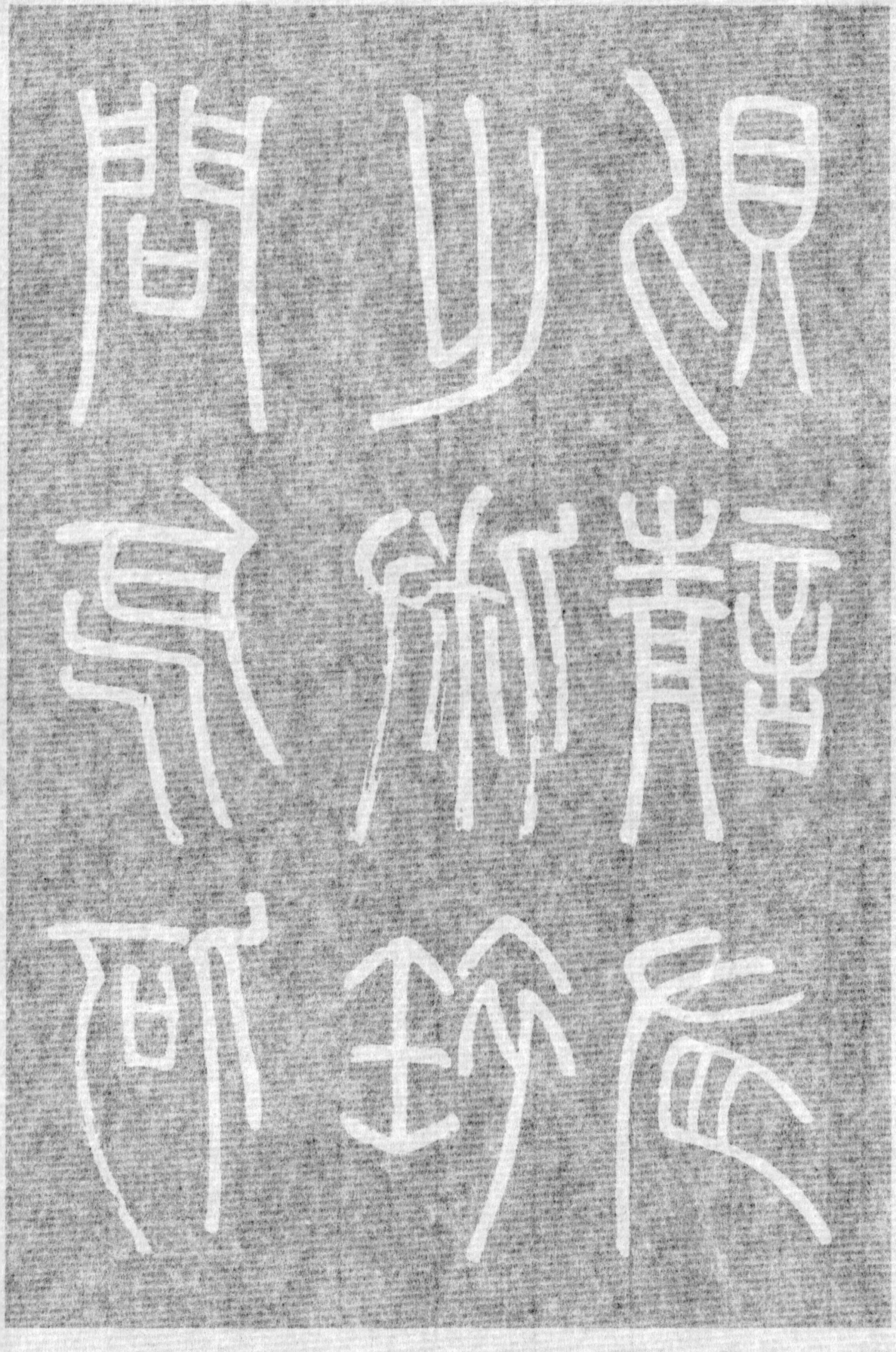

切相磋
各長其

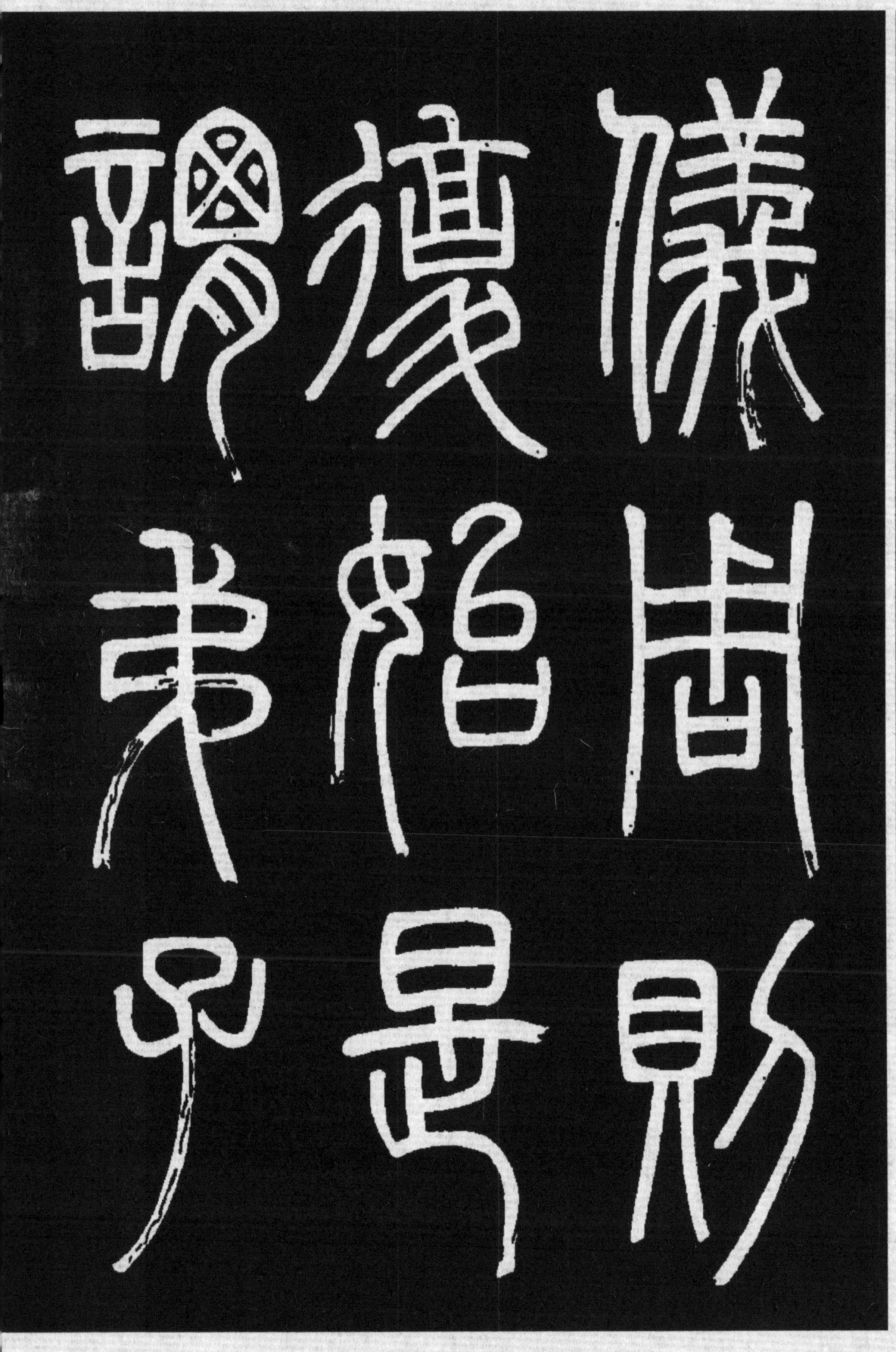
儀周則
復始是
謂弟子

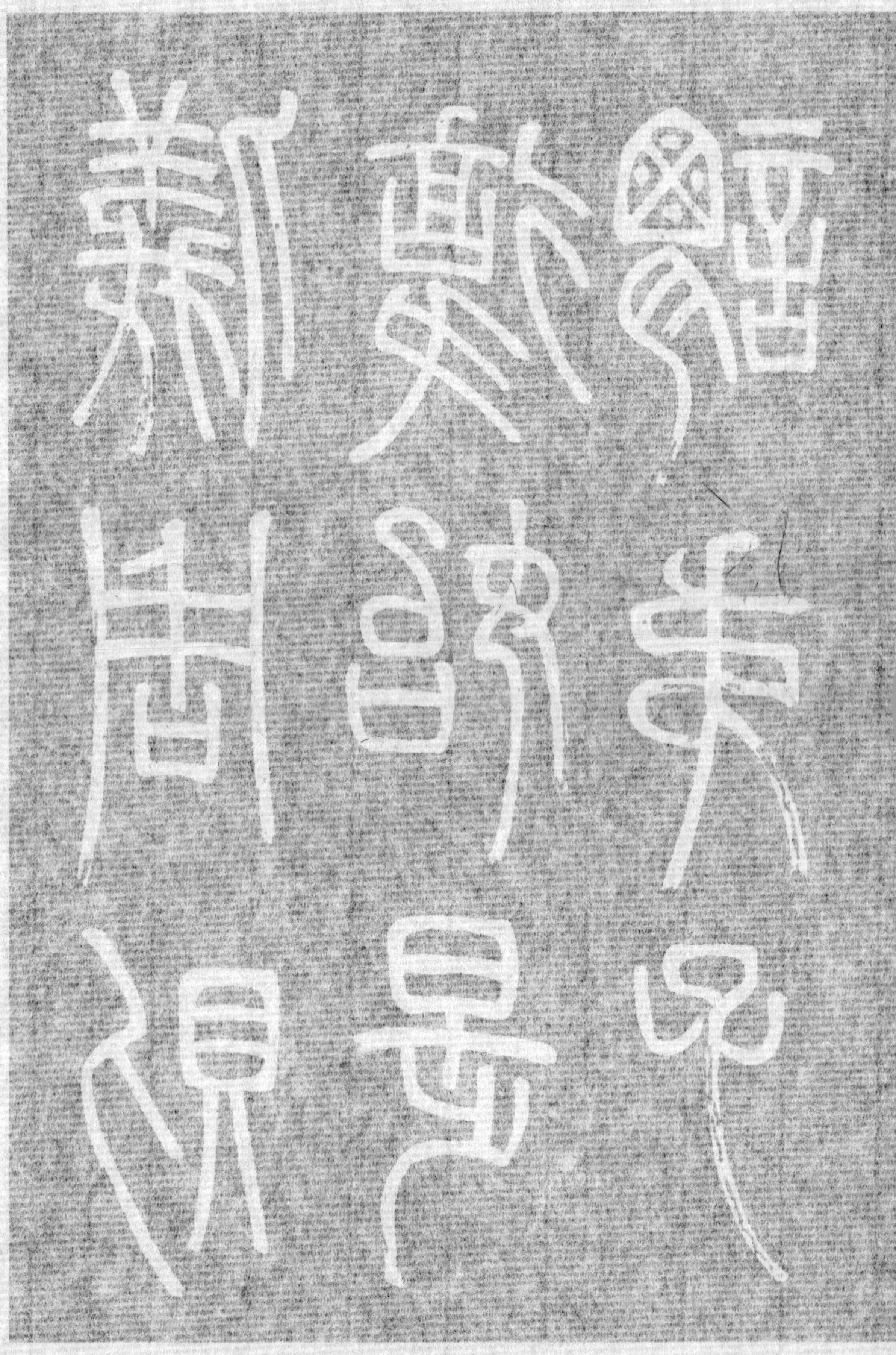

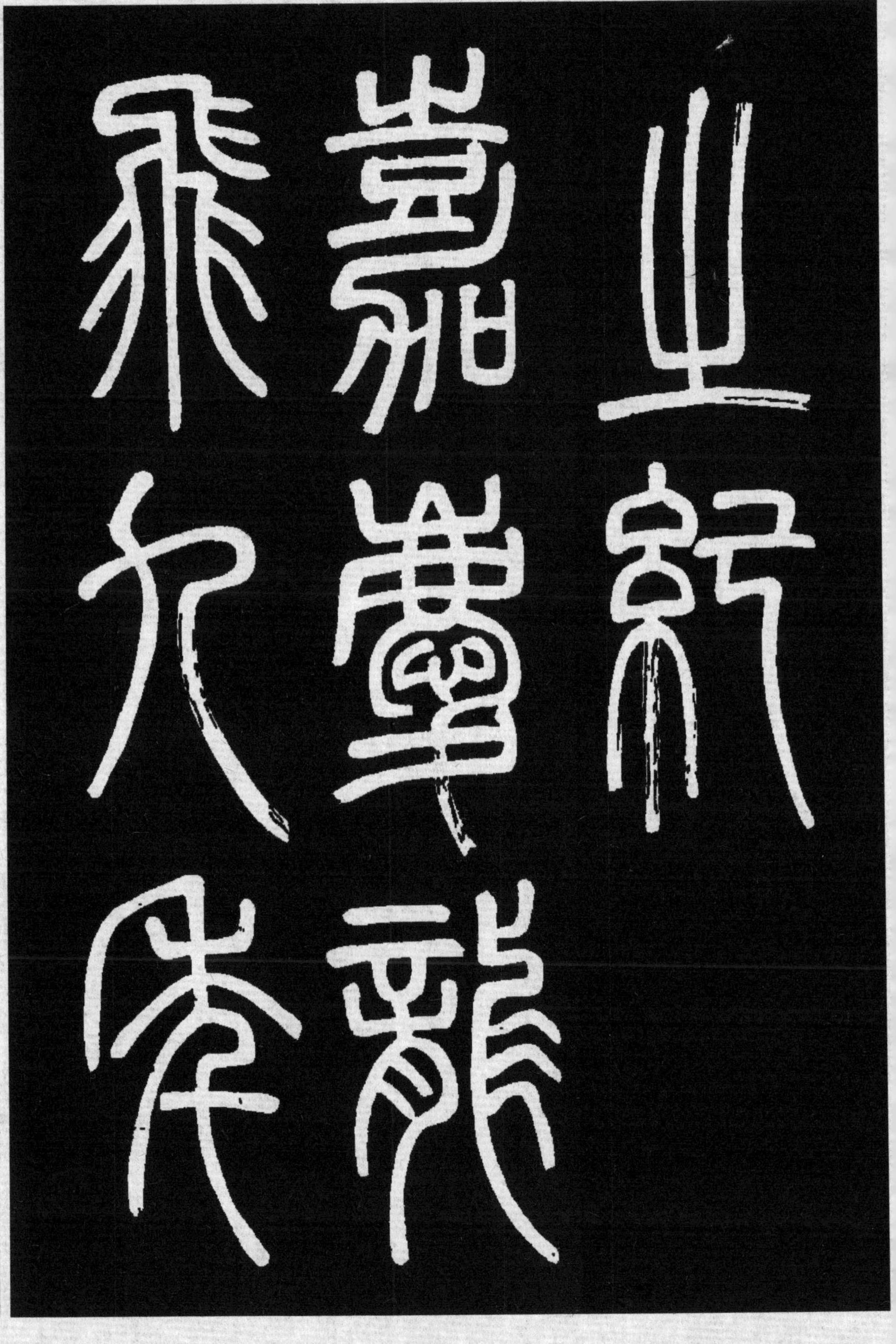

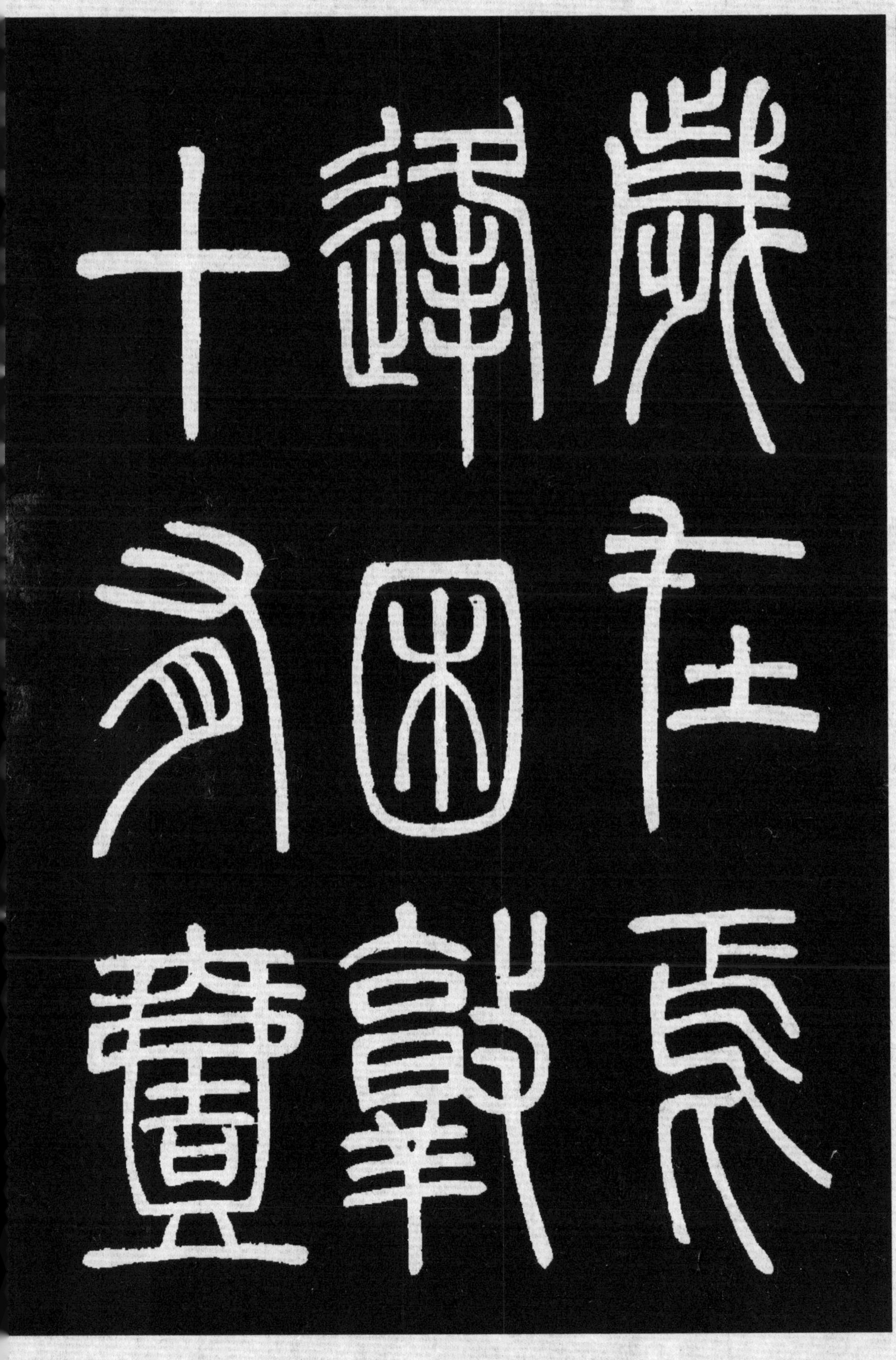

說文敘音書某

某子禄　　某子禄

九四　九三

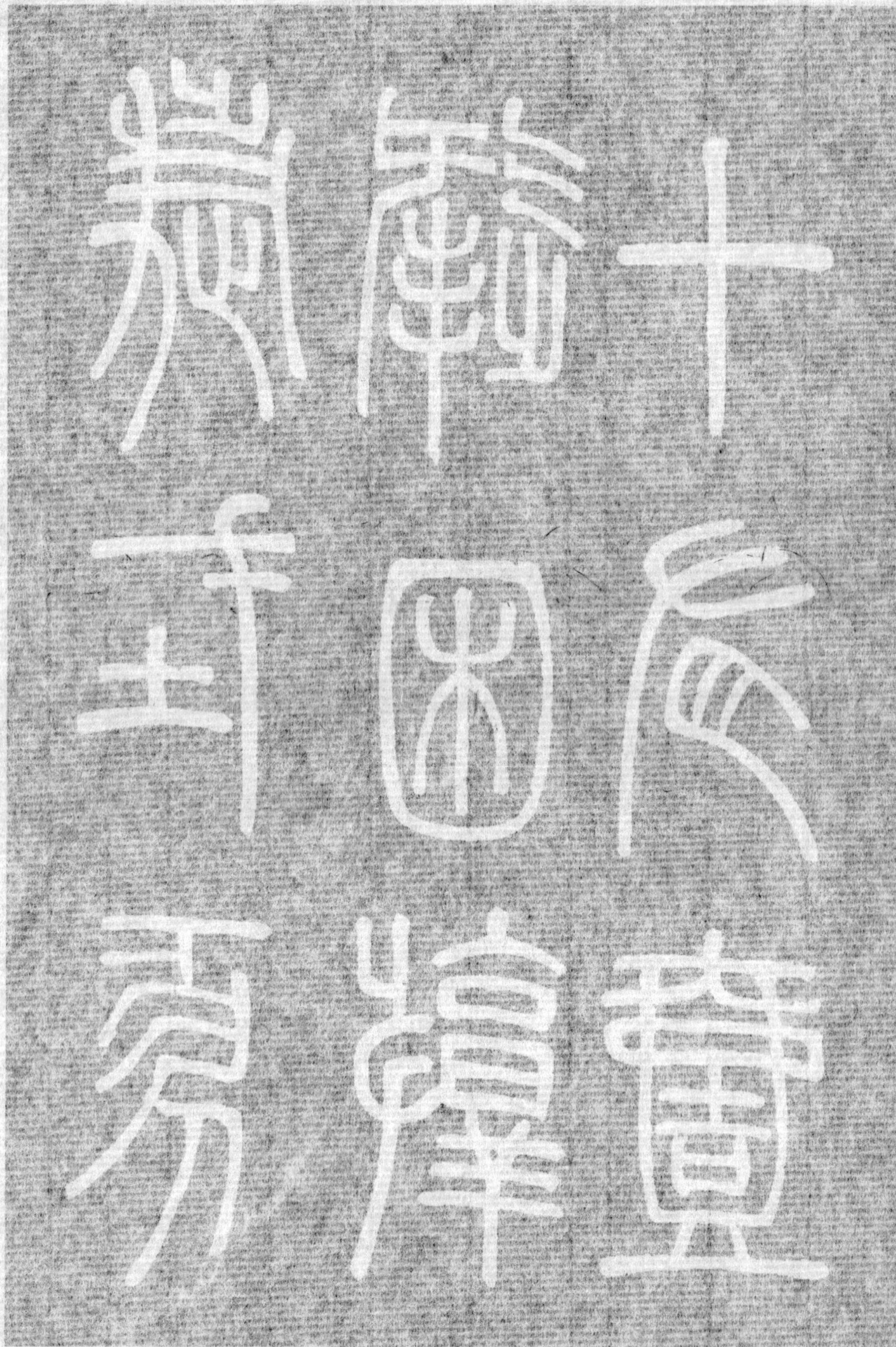

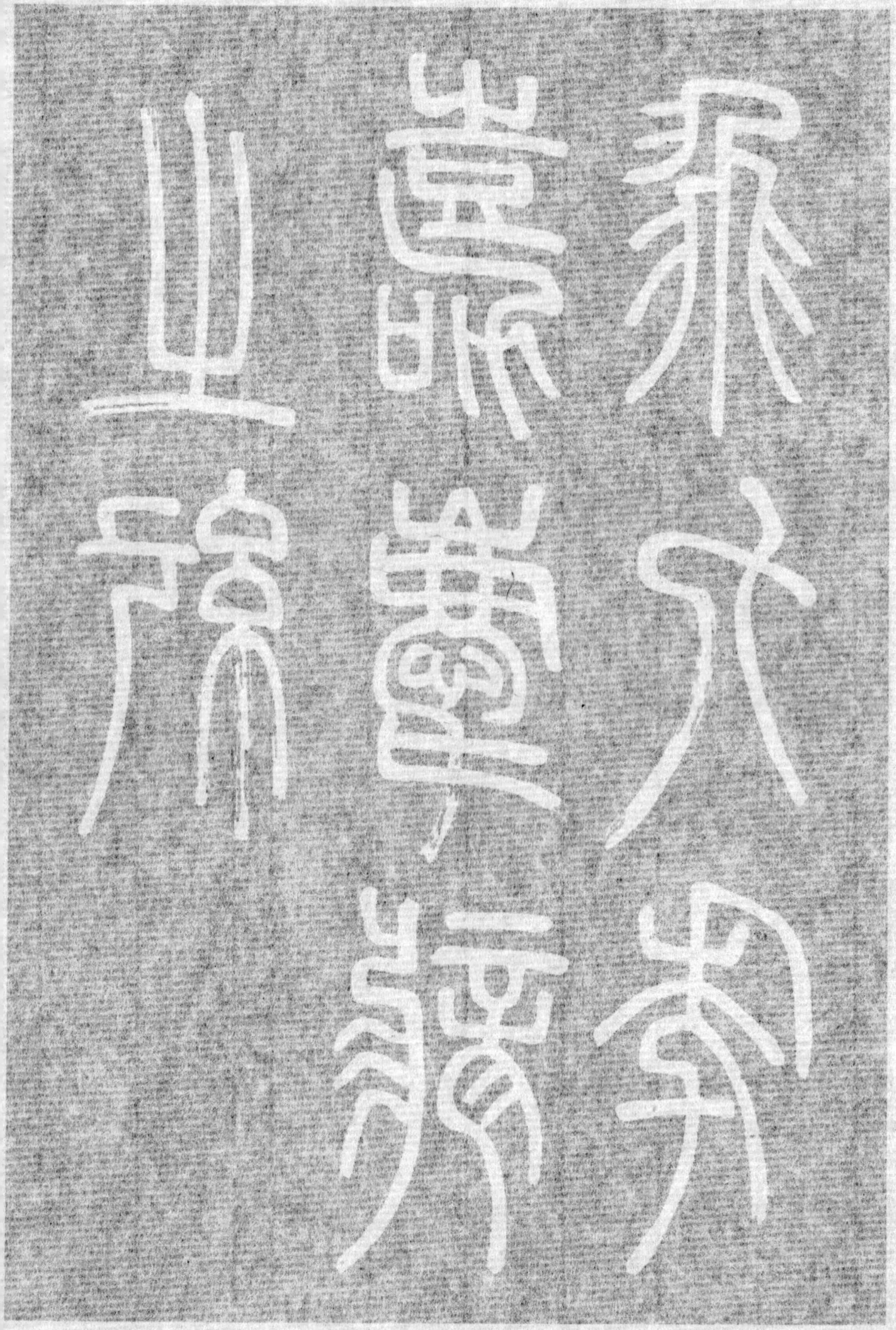

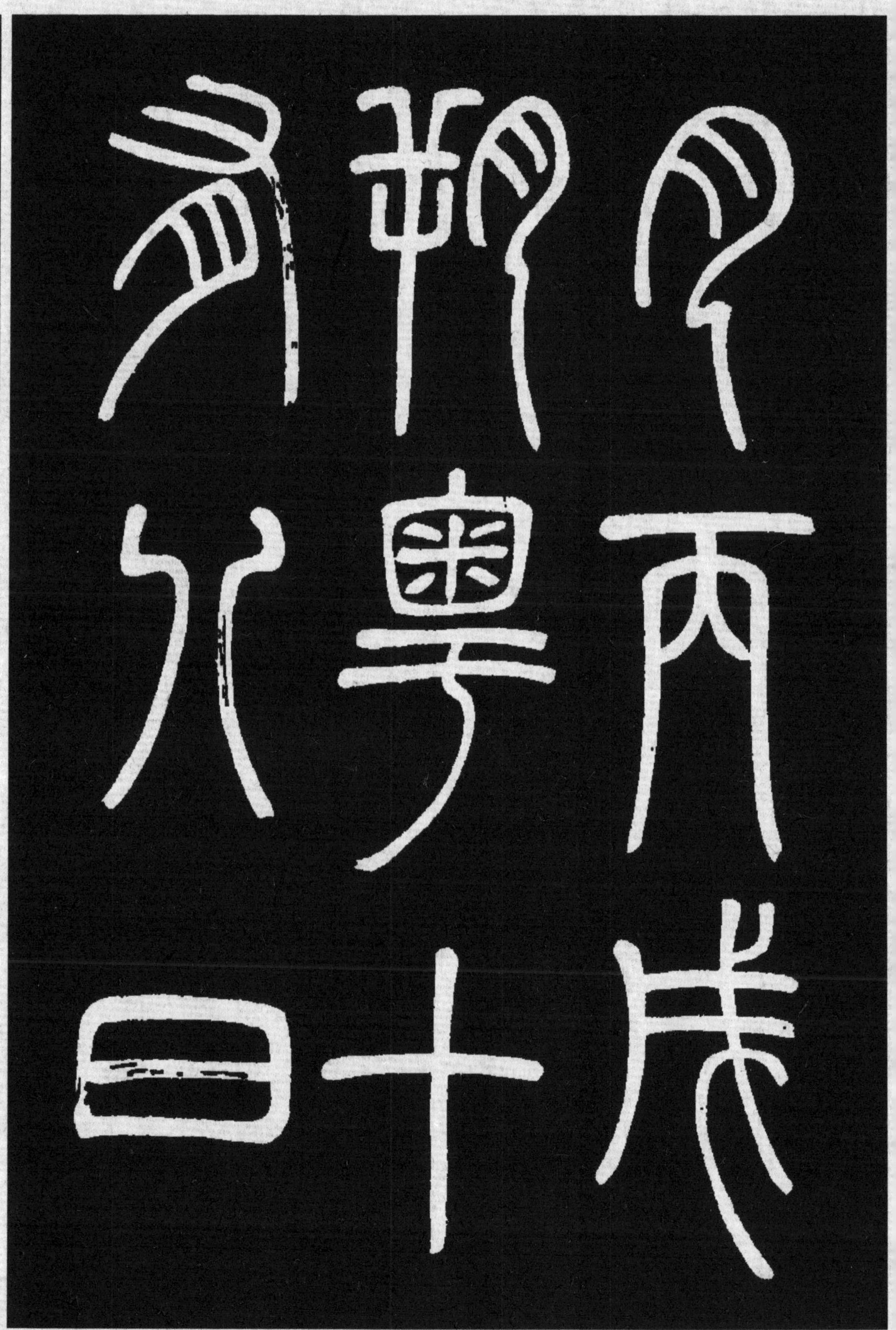

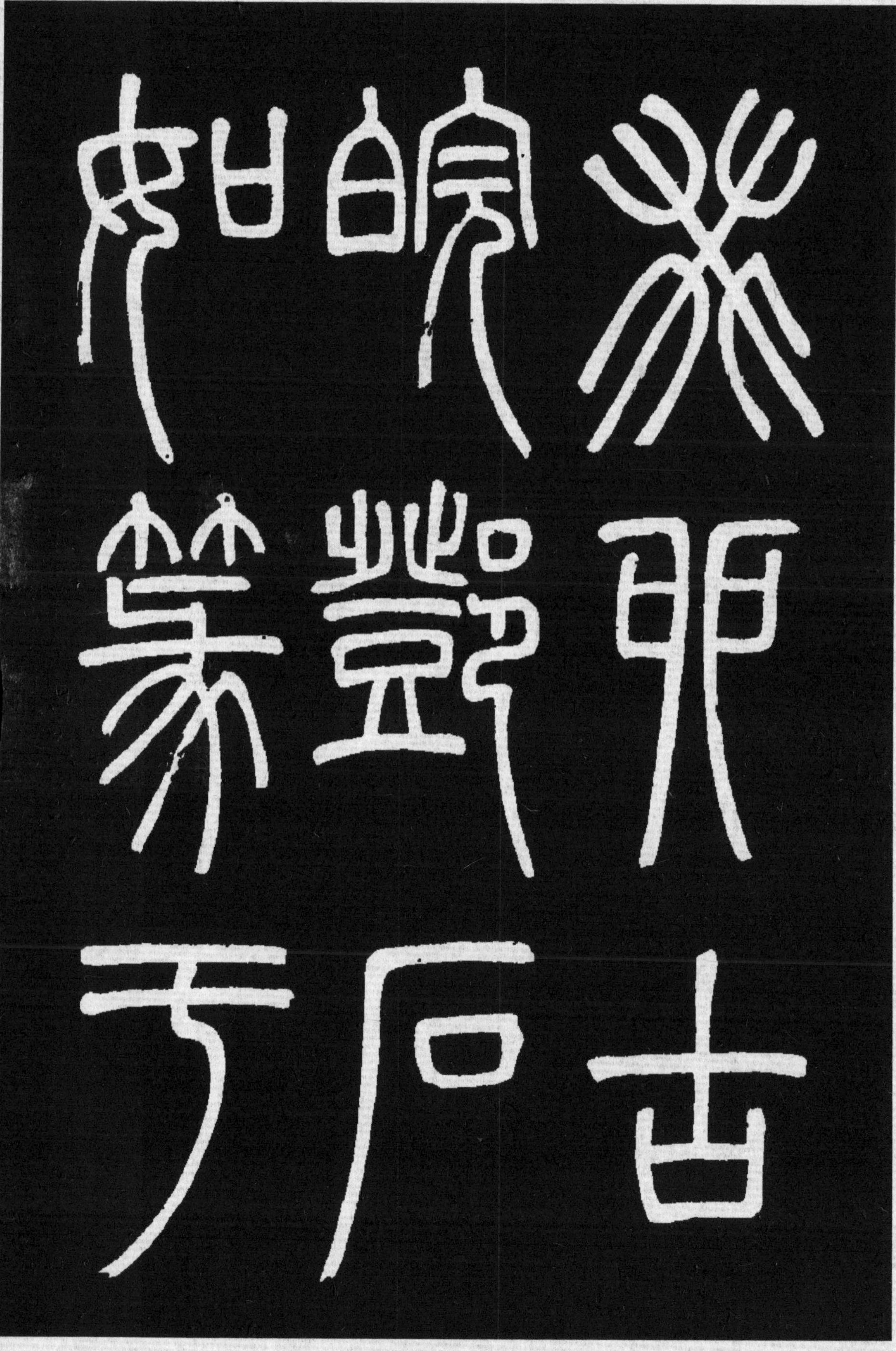

弟子婦

弟子婦

大正

大六

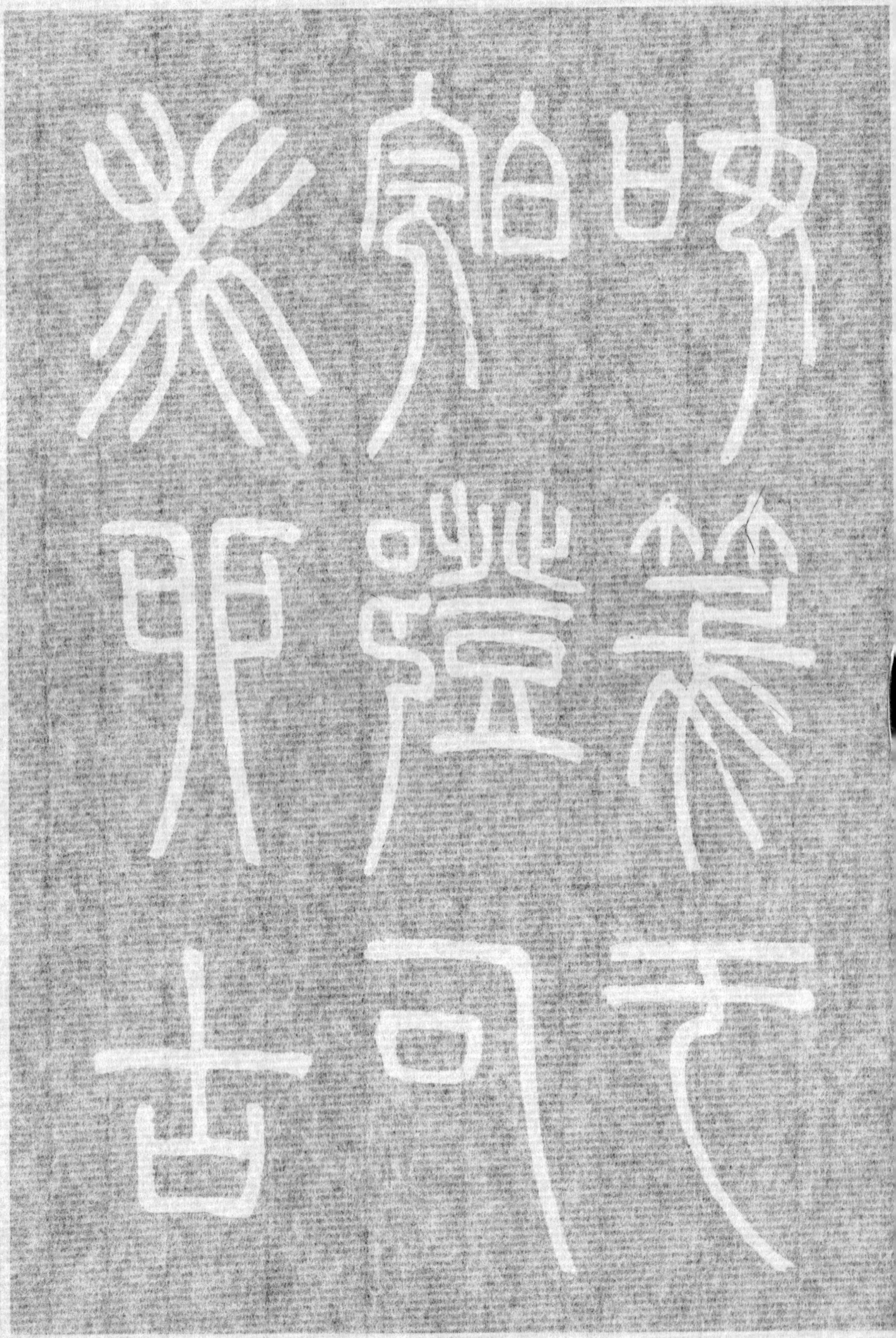

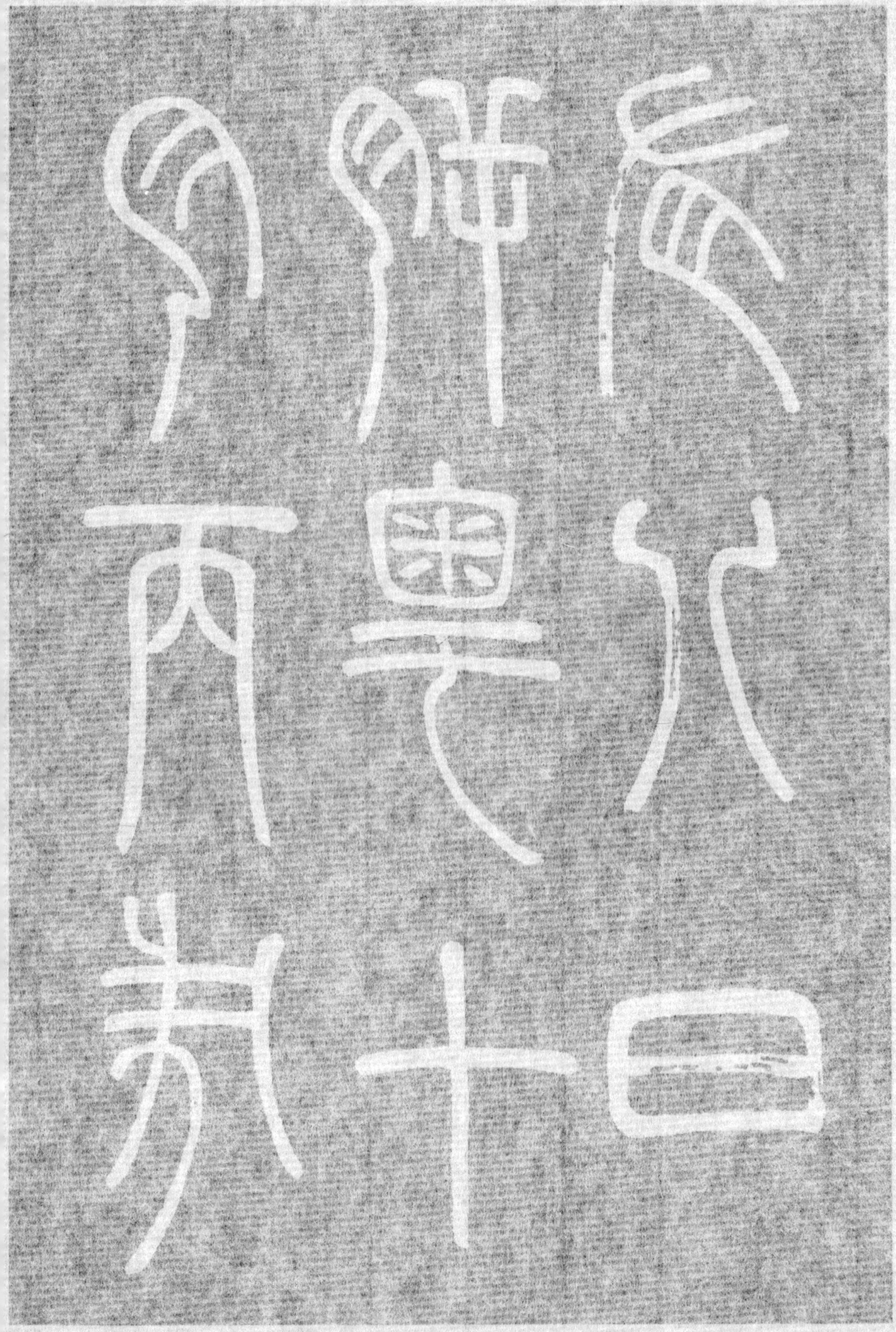

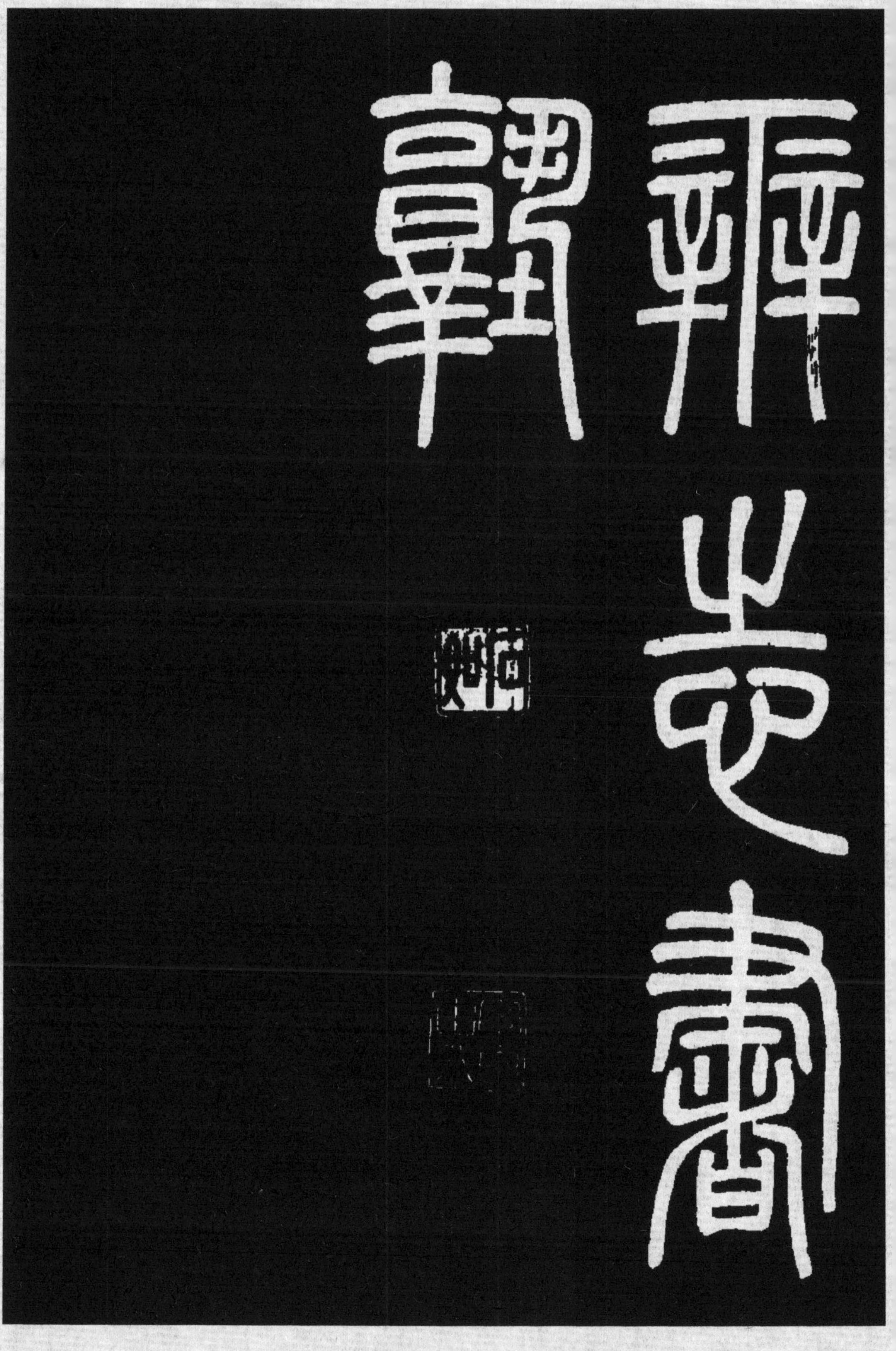

鄧石如書法集

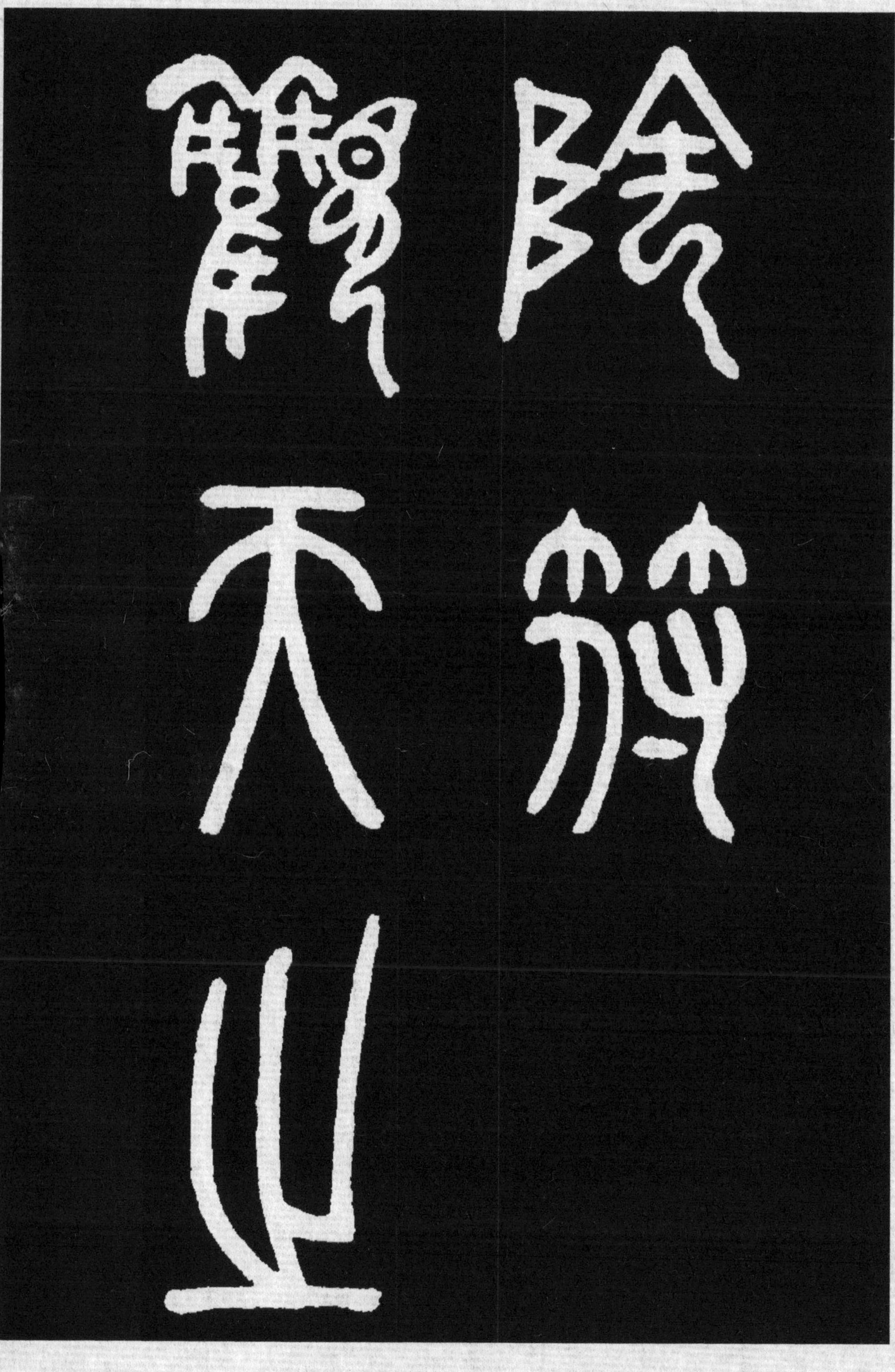

澄心歗售秋集

劉伯邅

第十纸

又人
又女

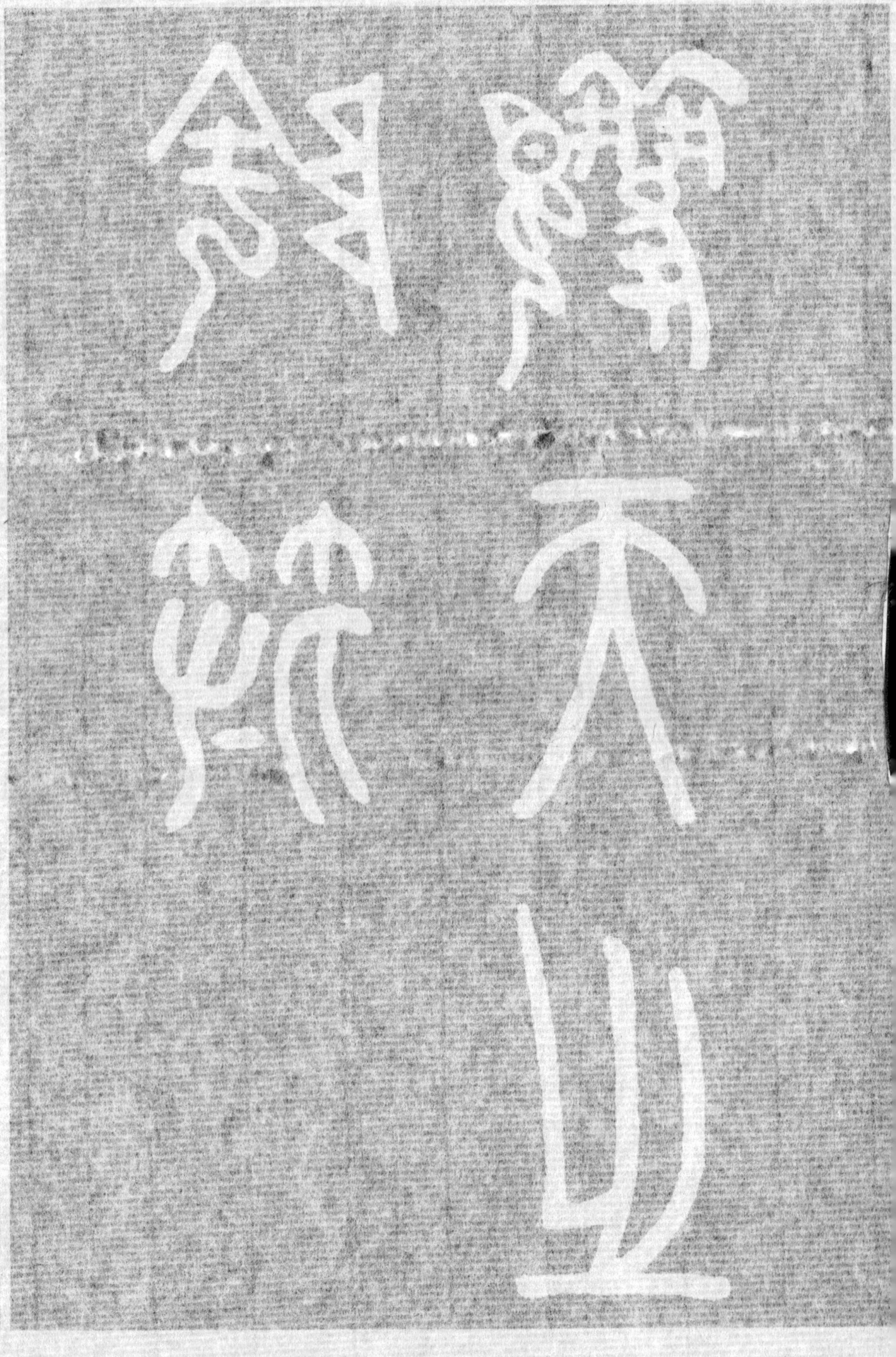

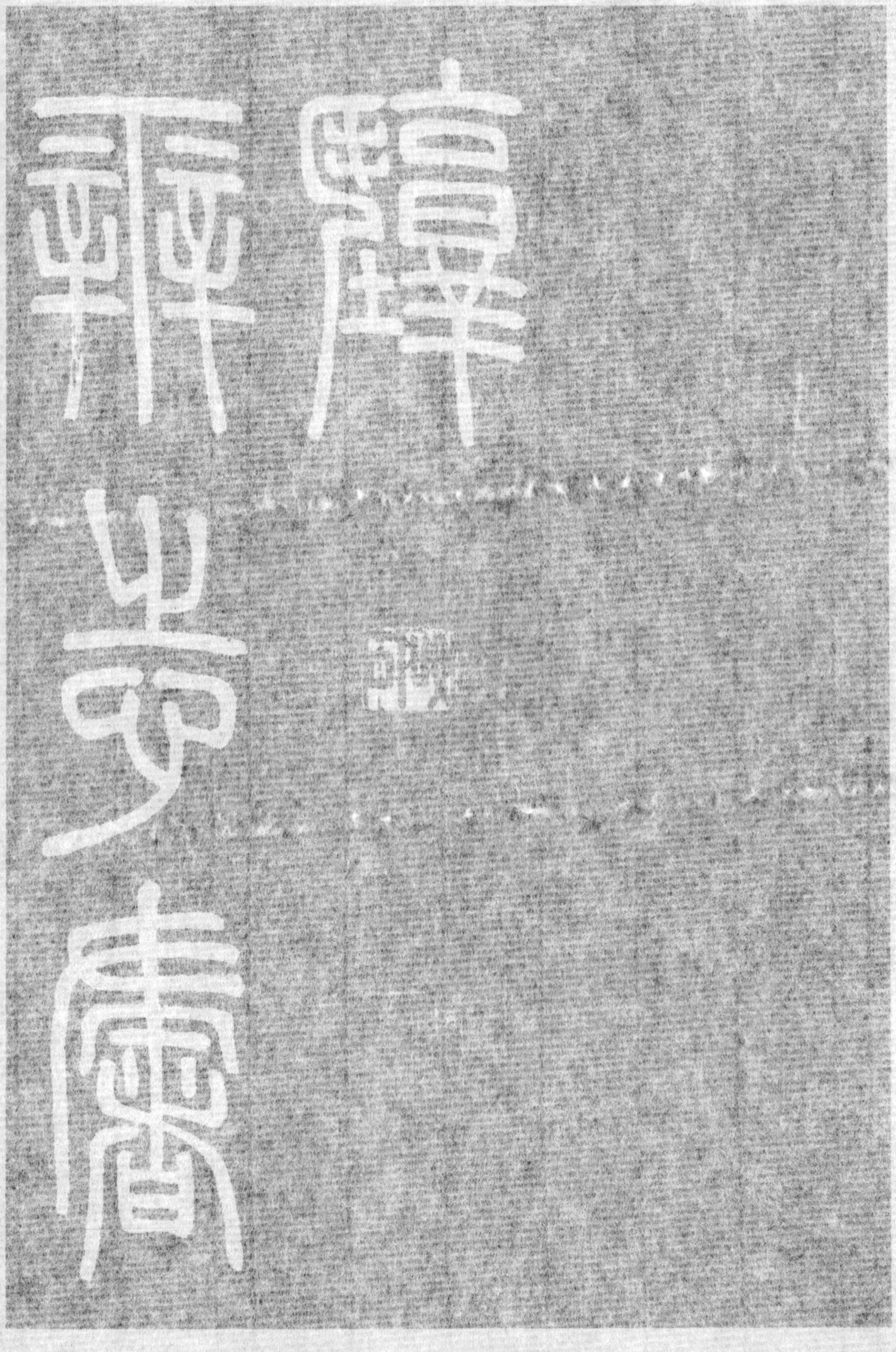

之者昌
五賊在

心施行
于天宇

宙在乎
手萬化

生乎身
天性人

天　發　殺　機

陸　殺　起　龍

月　機　陸　蛇

機

九

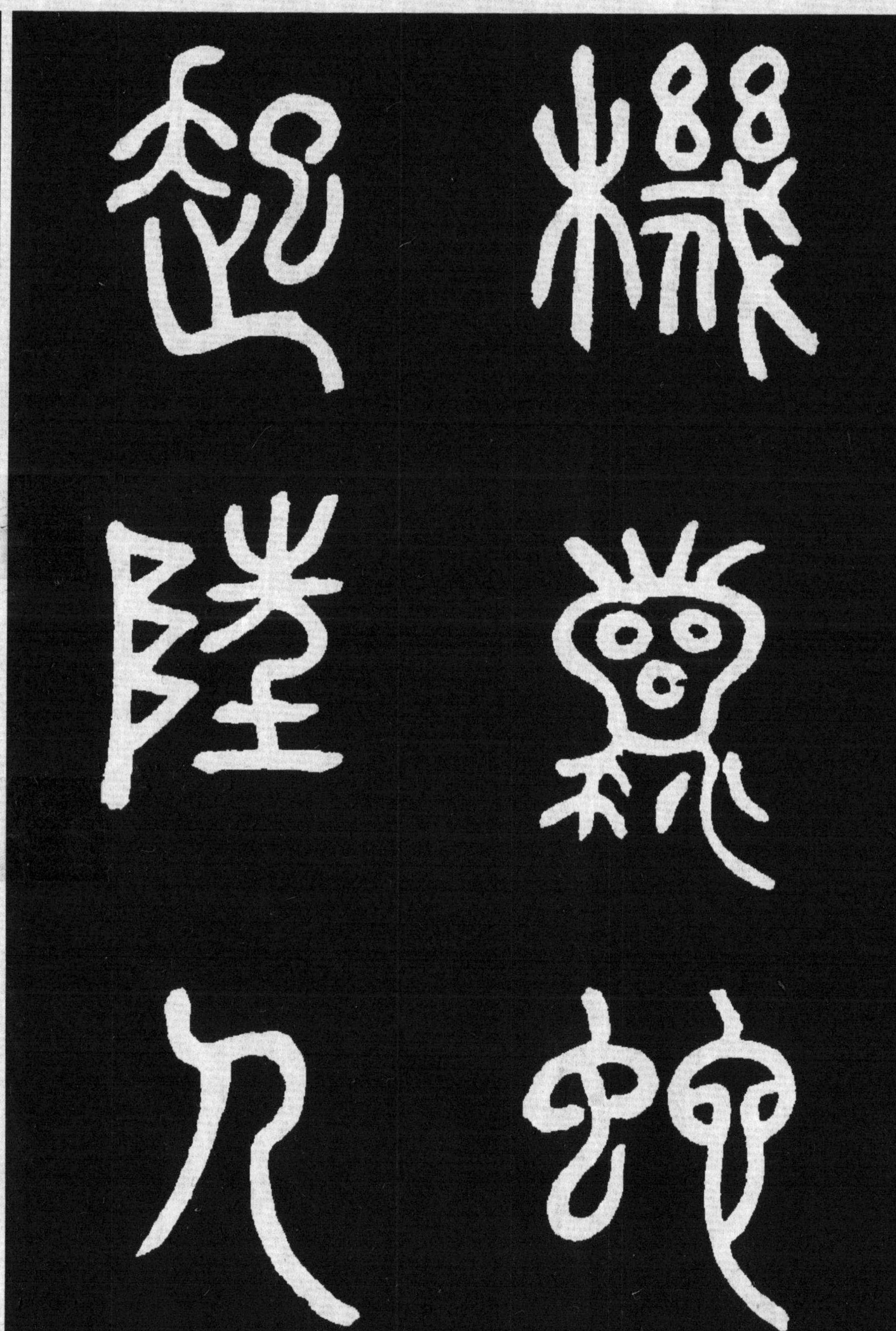

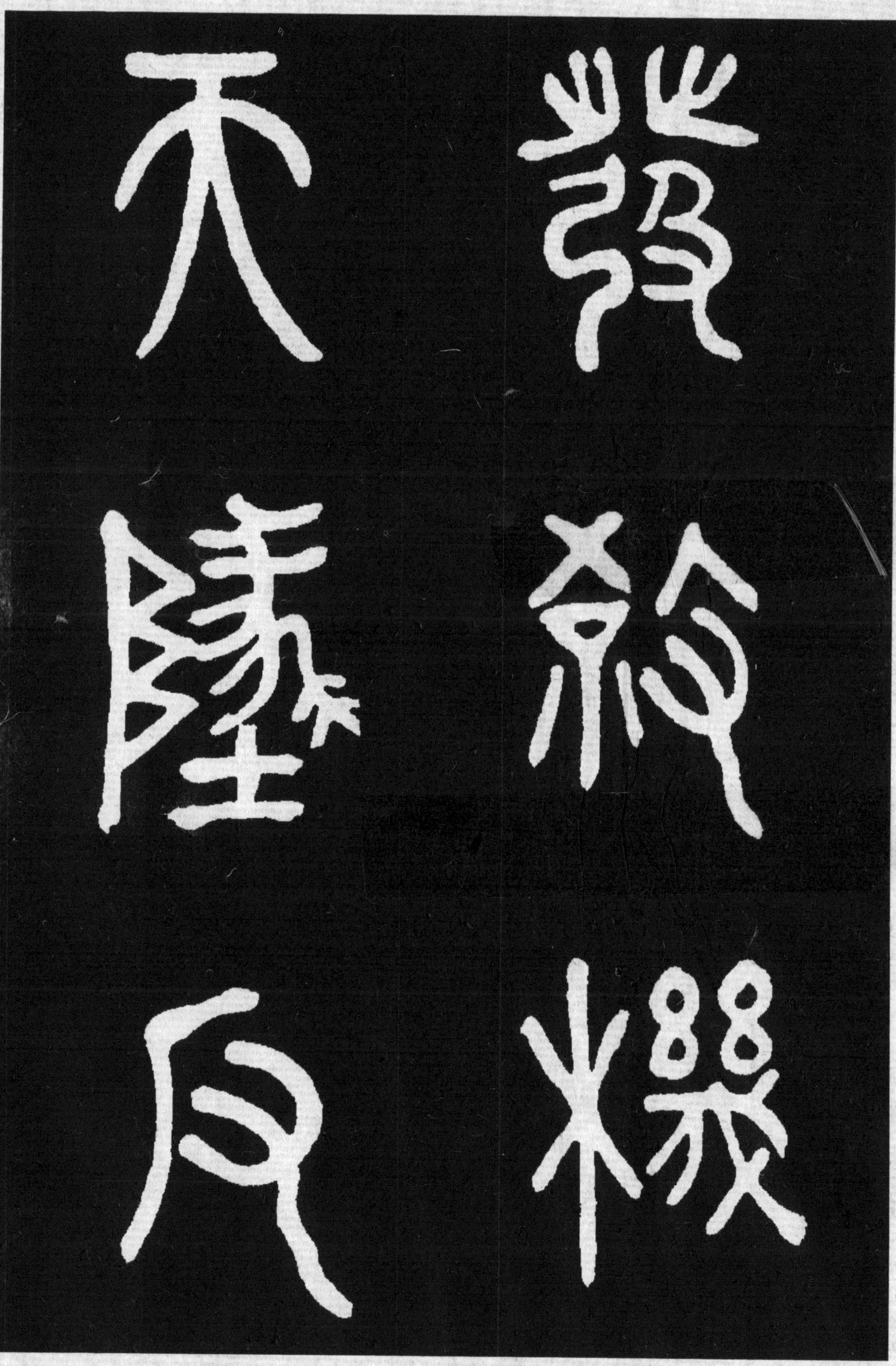

鄧石如書法集

陰符經

陰符經

二〇一

一〇九

覆天人
合發萬

化定基
性有巧

拙可以伏藏九

竅之邪在乎三

十年三
覓可邑
陵藏於
紀百己

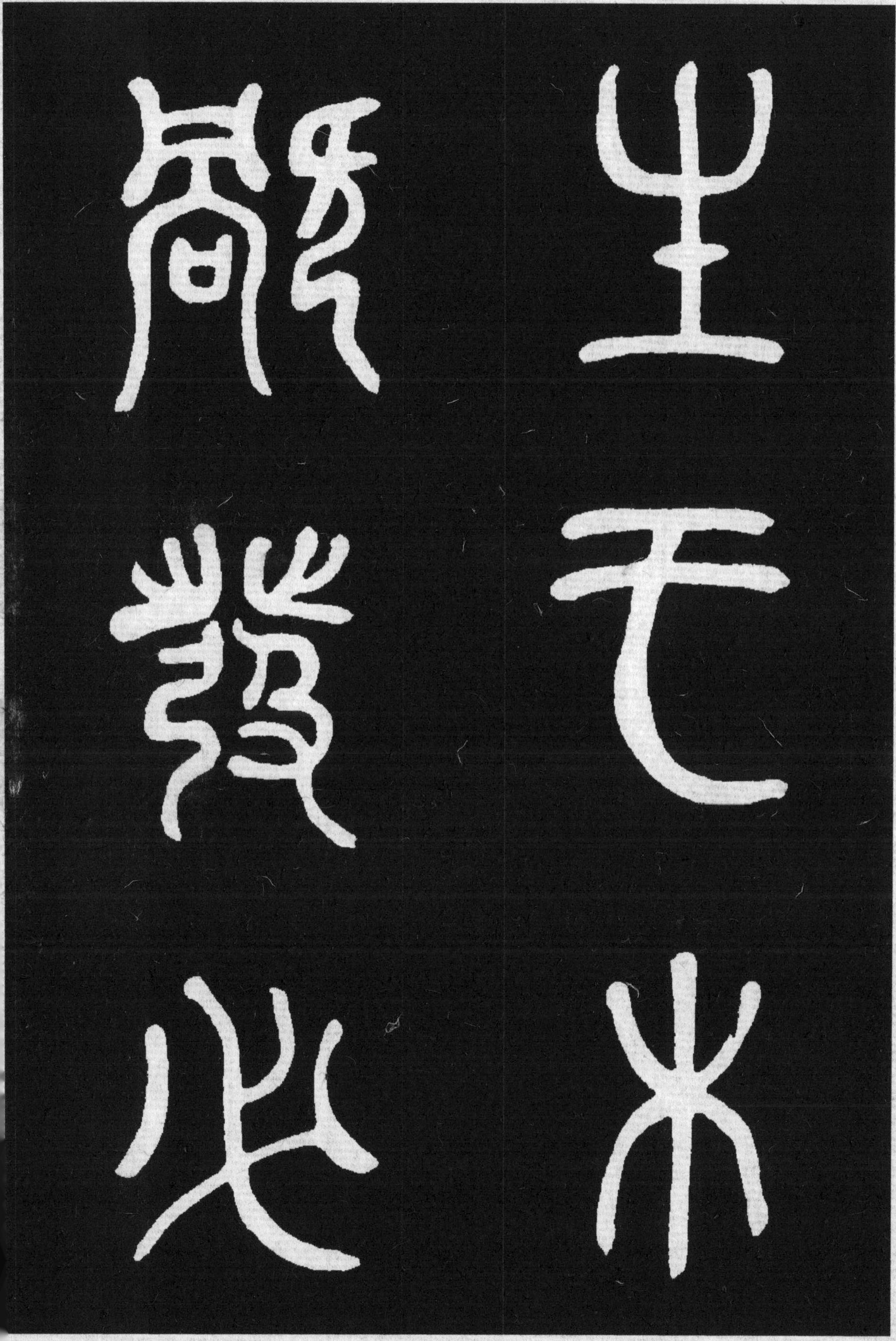

要可以
動靜火

生于木
禍發必

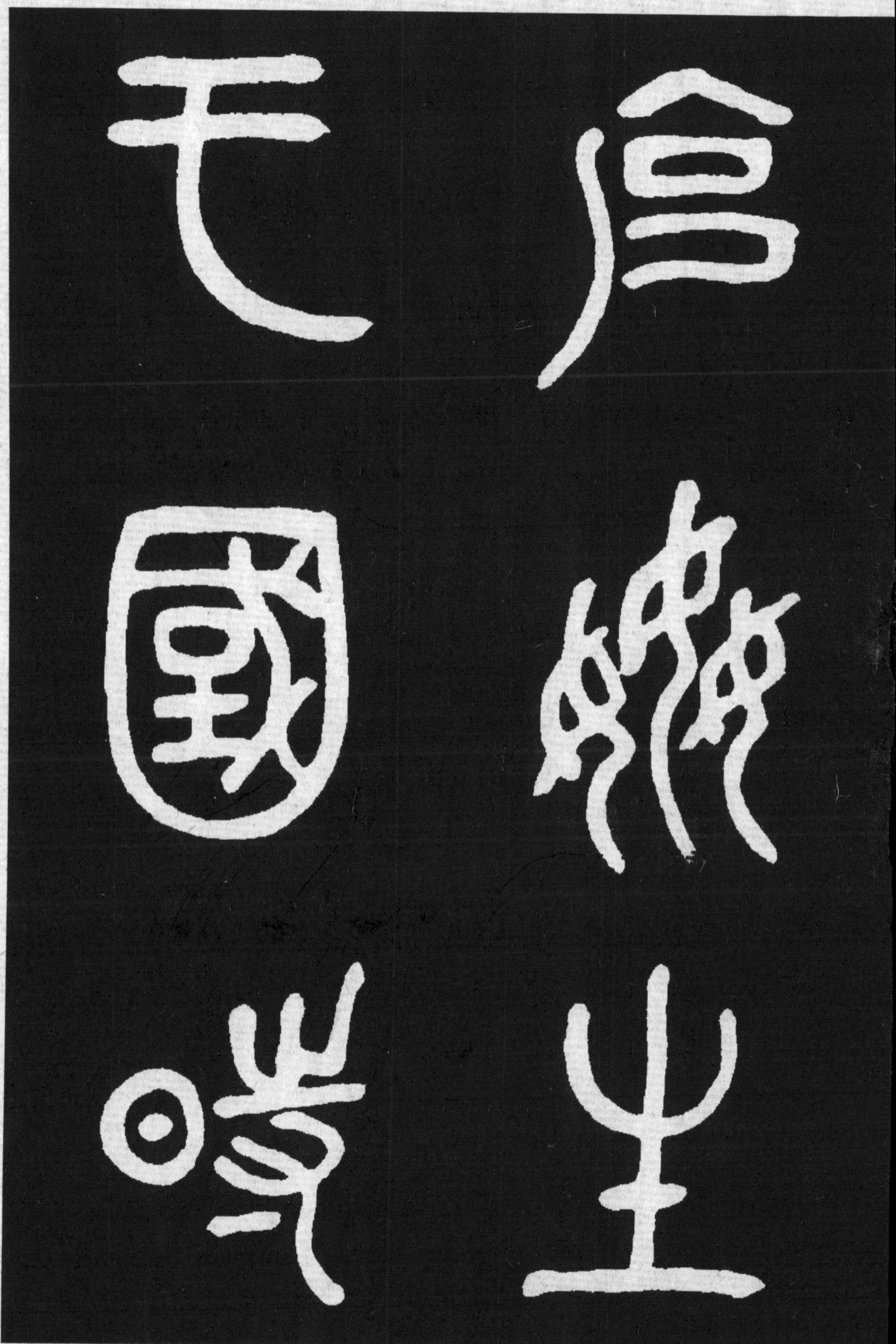

歷代碑帖書法集

鄧石如篆書冊

一二一

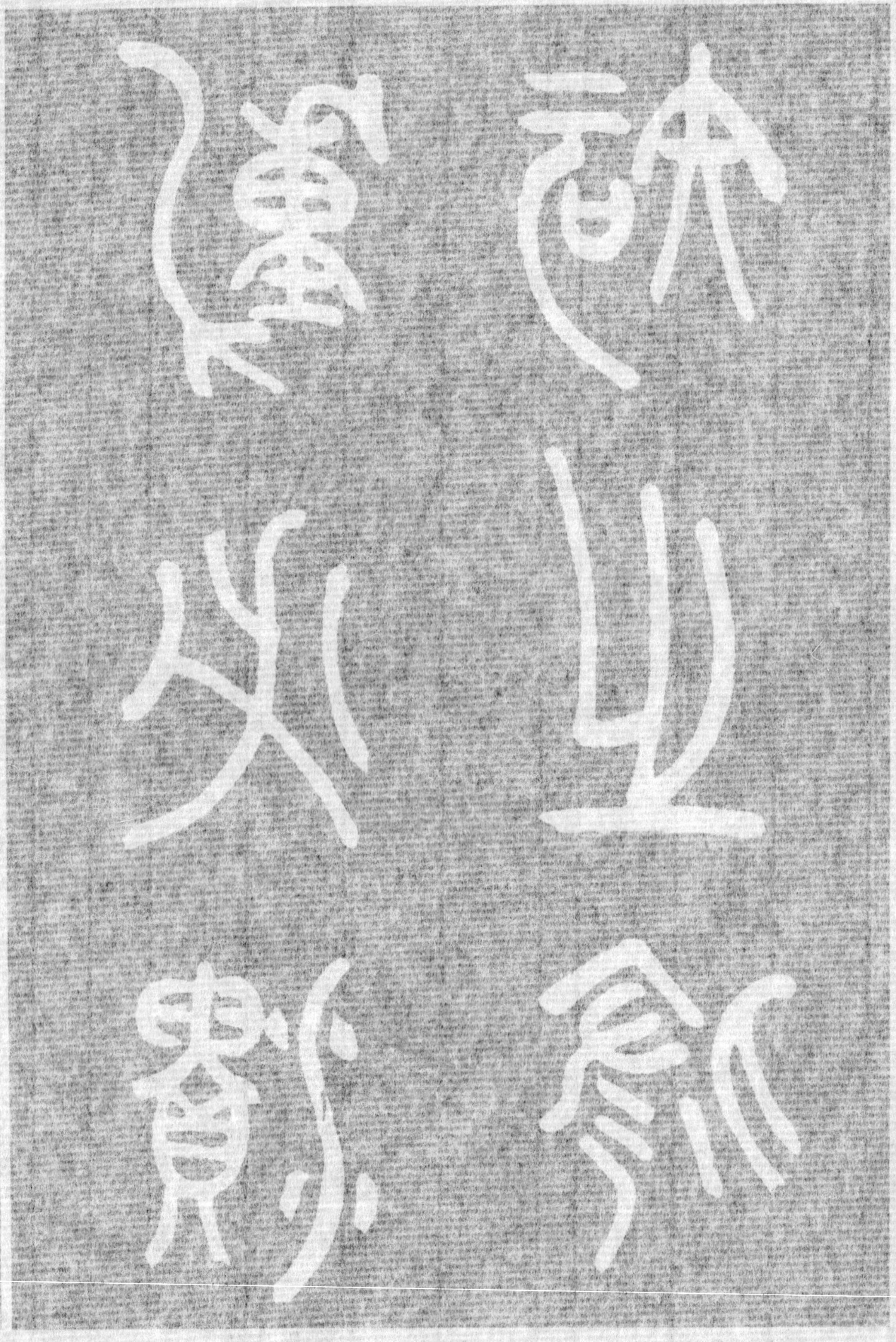

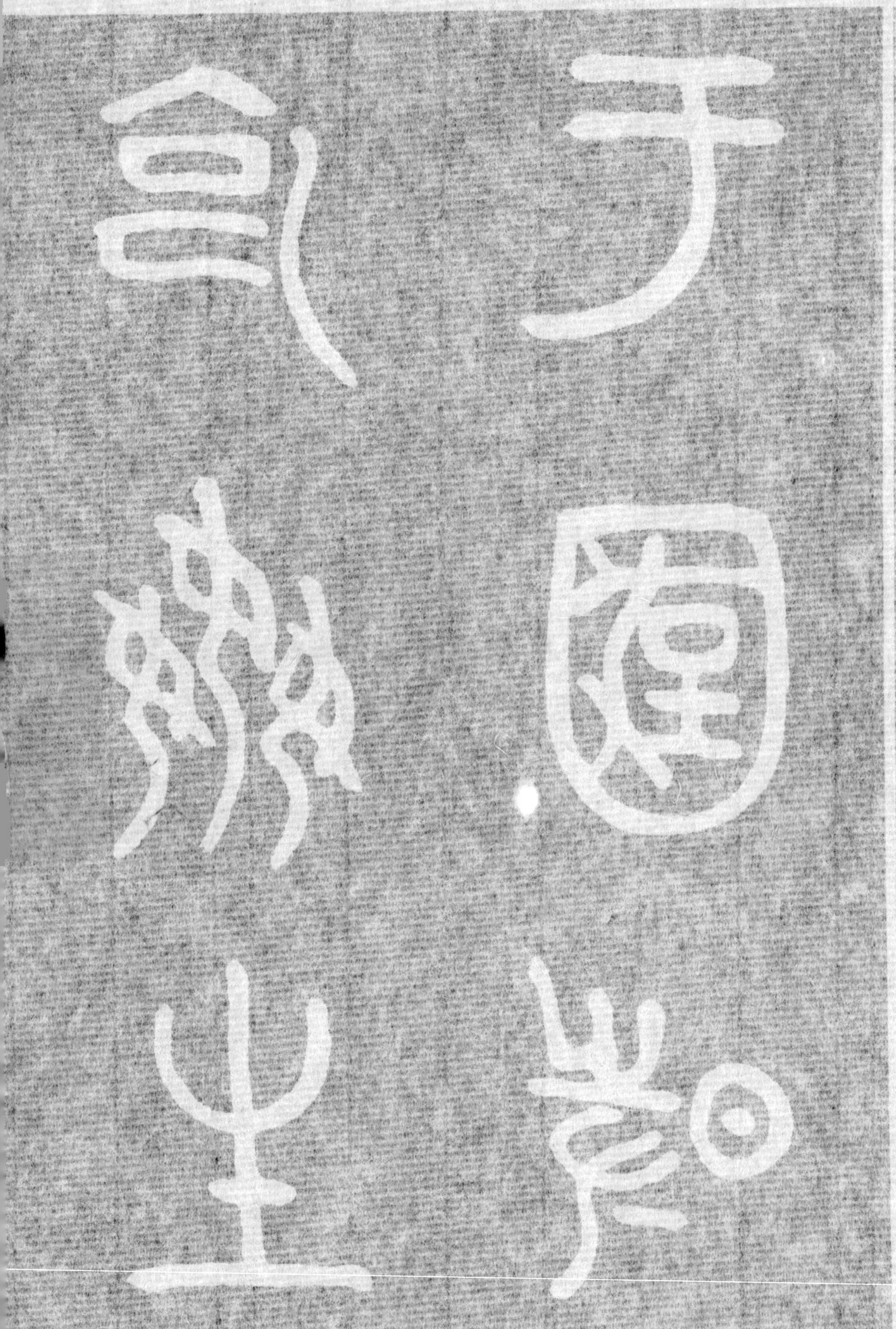

鄧石如書法集

陰符經

陰符經

遜古殷書弄箋

劍林翁

剞氏劂

一二○ 一七五

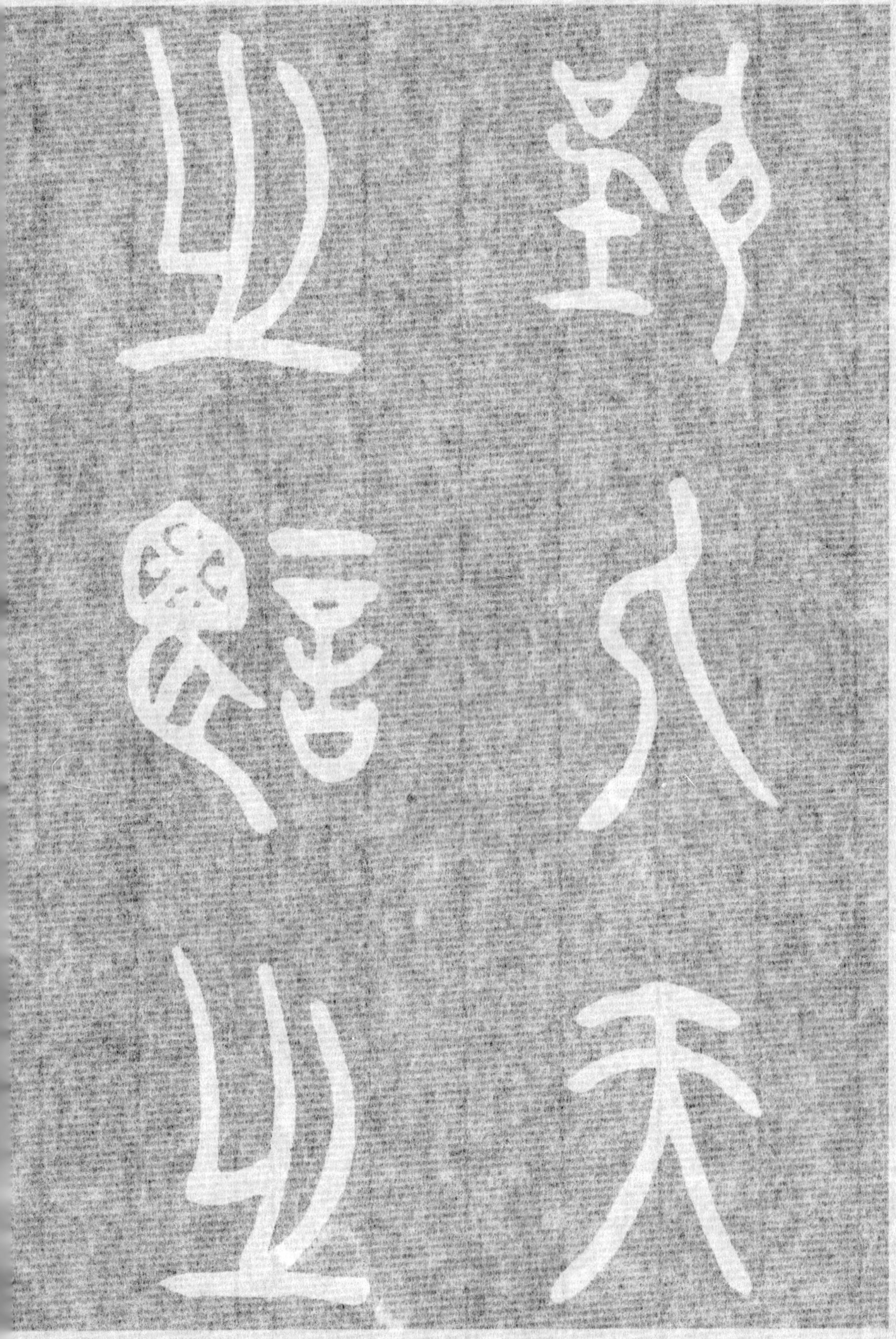

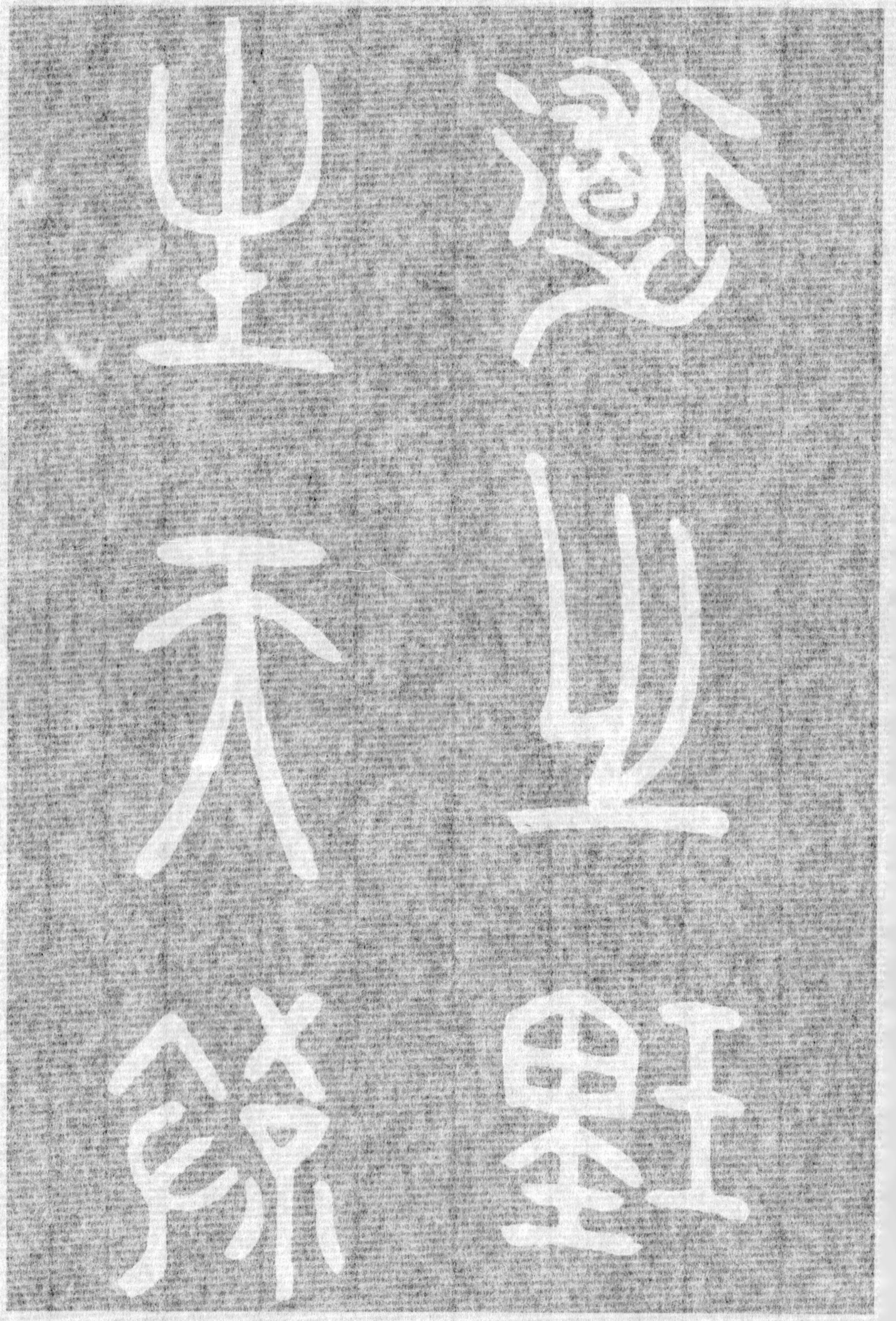

安天地
萬物之

盜萬物
人之盜

澄石取情求薹集

劍朴璽
劍漖璽

二七

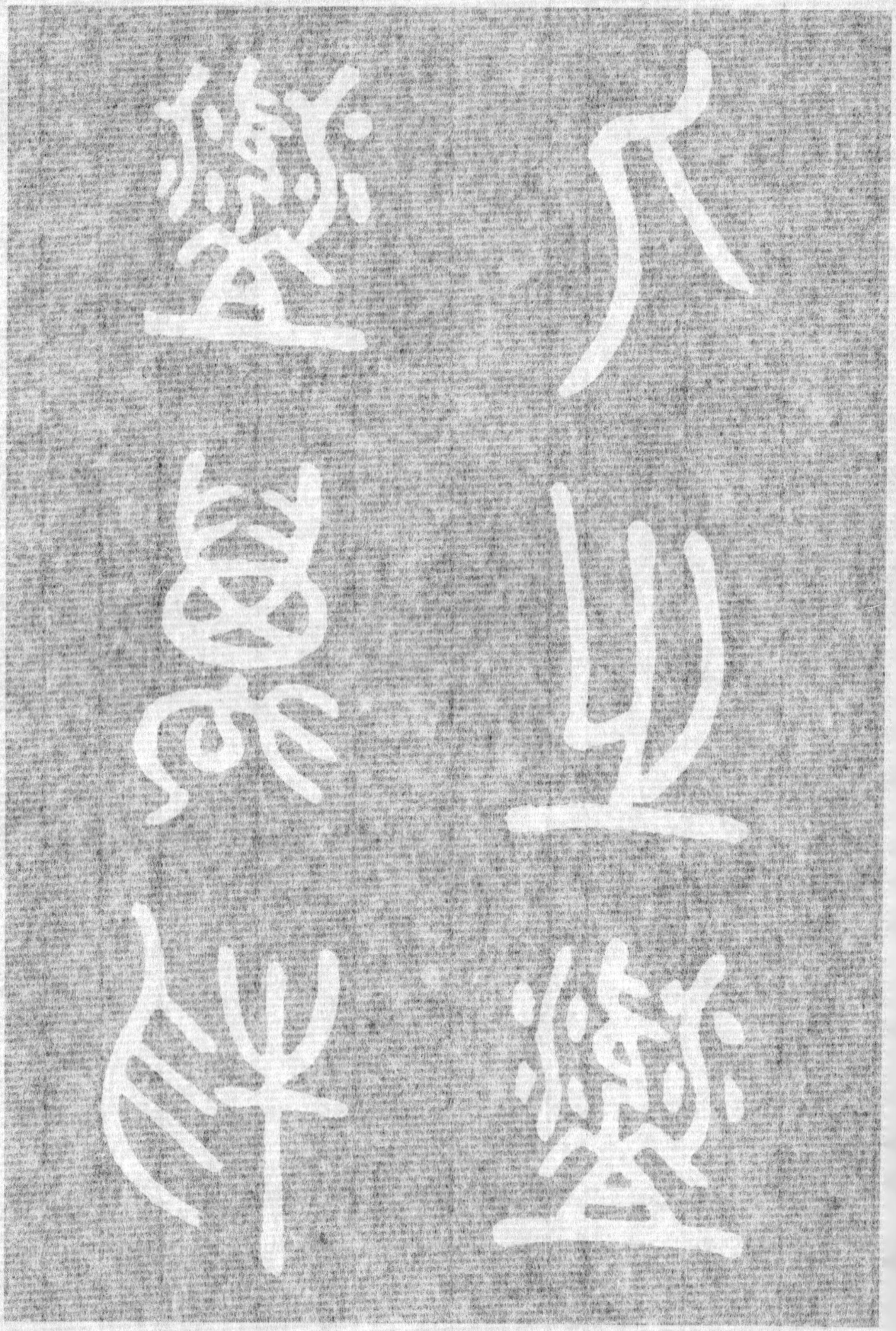

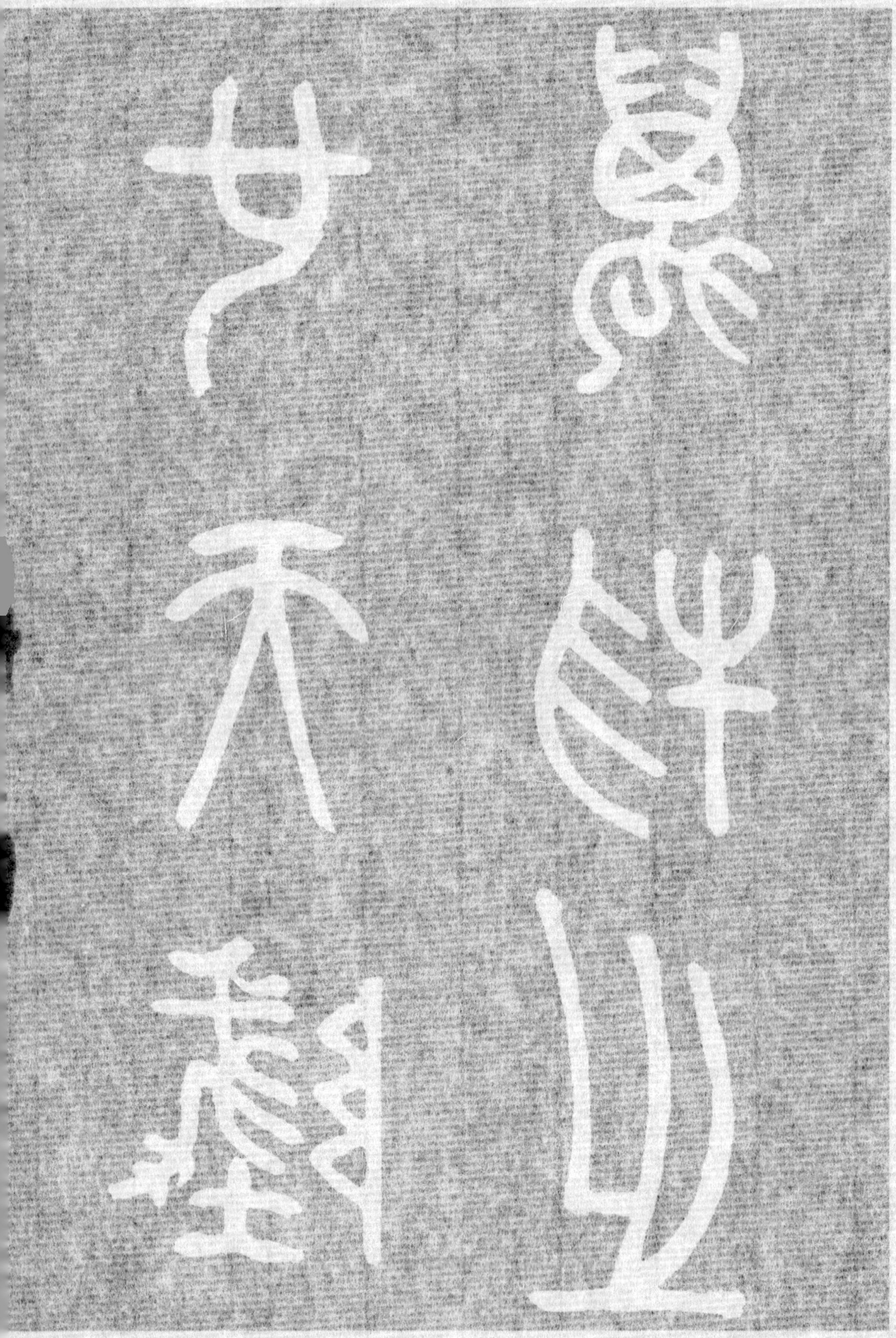

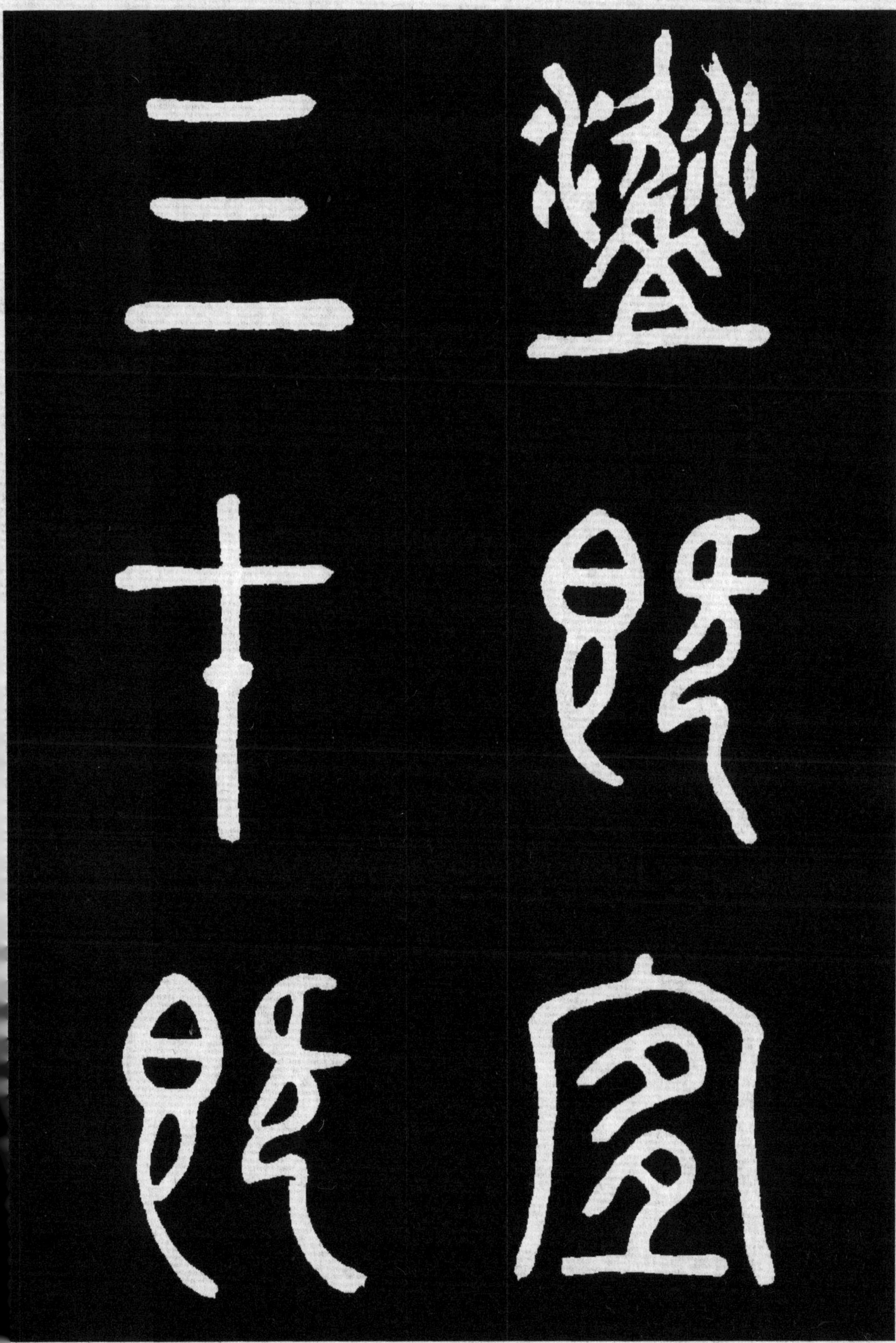

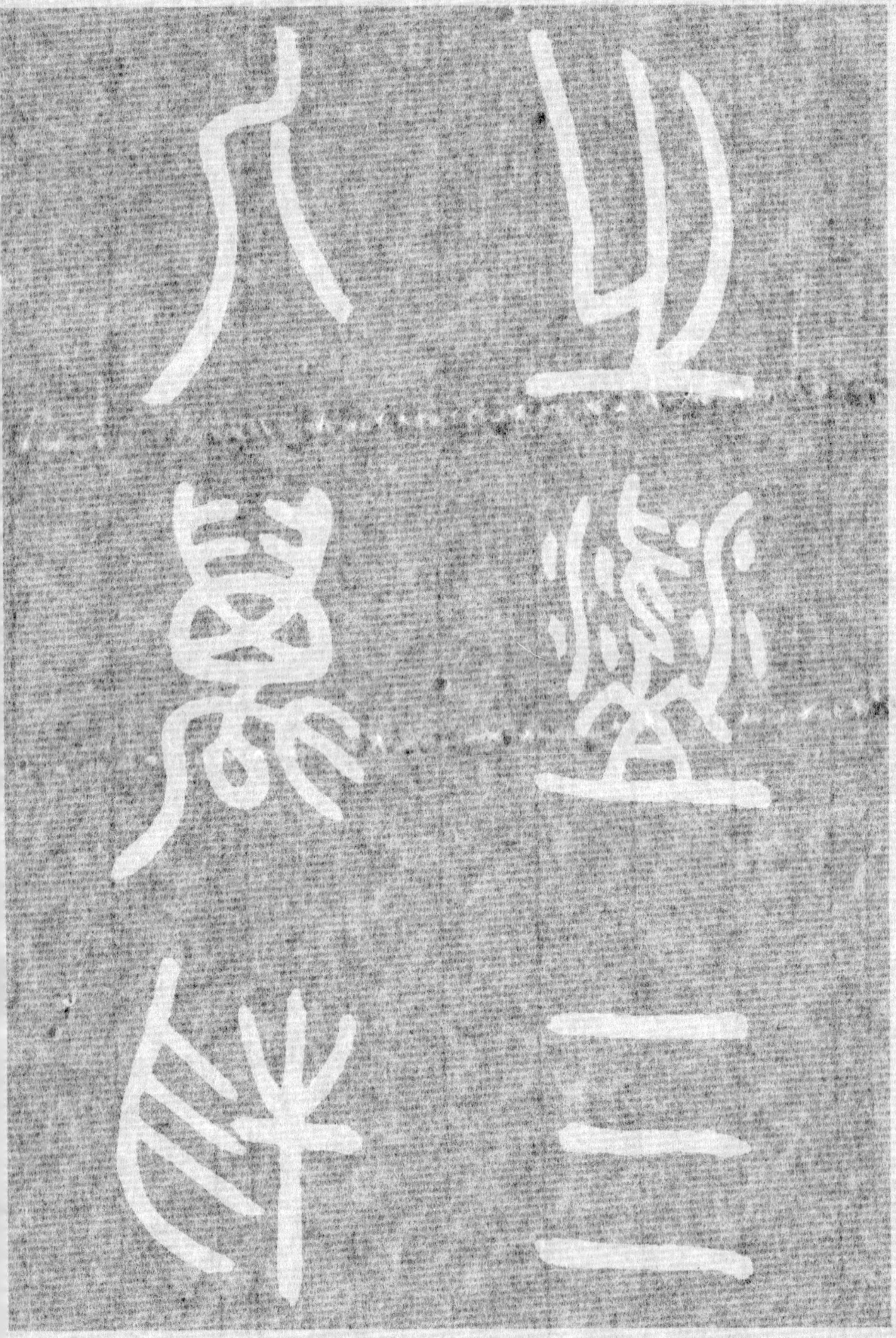

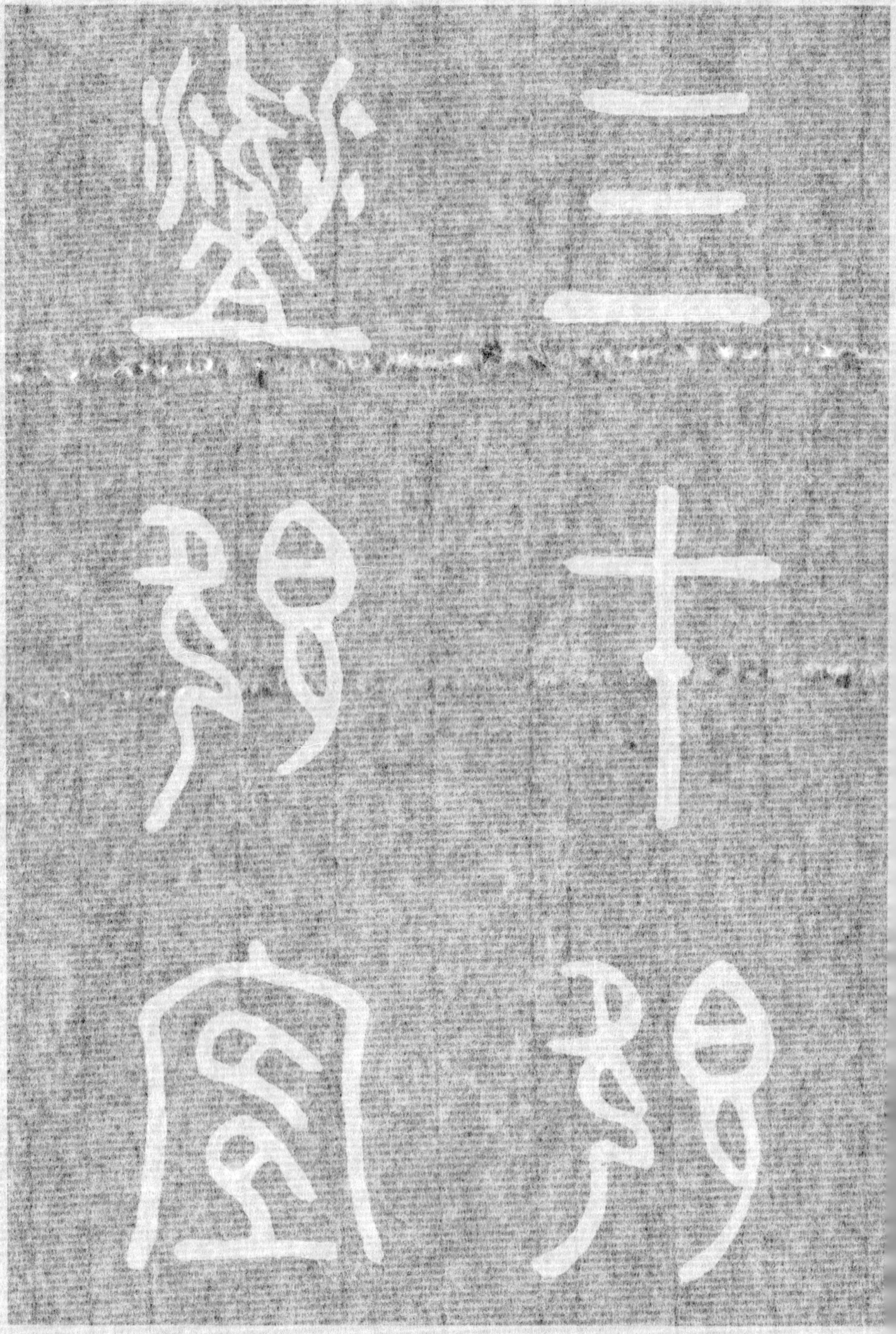

安故曰
食其時

百骸理
動其機

安故曰

食其時

百骸理

動其機

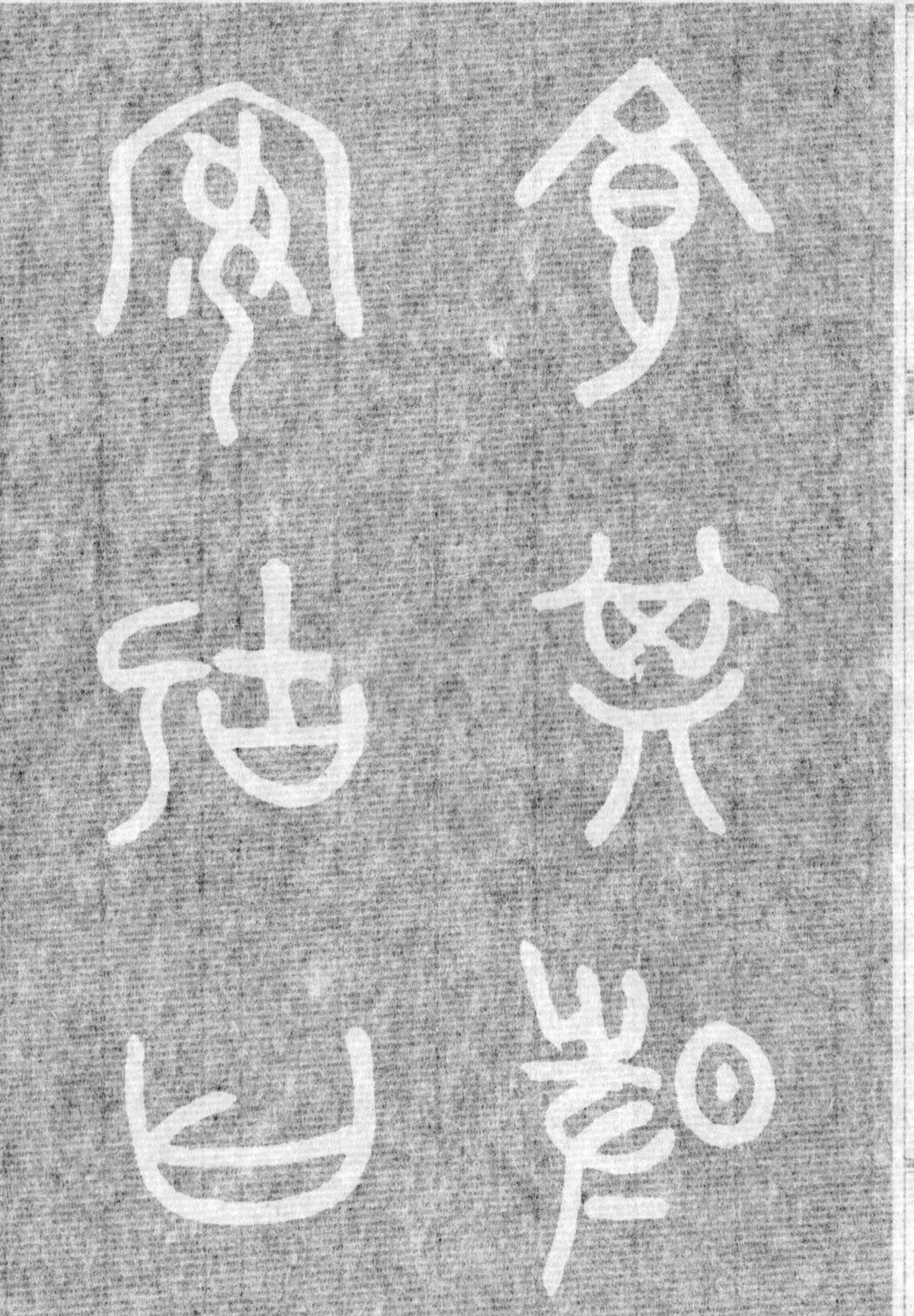

萬化安
人知其

神而神
不知不

御林墅
御林墅

二六人
三
王

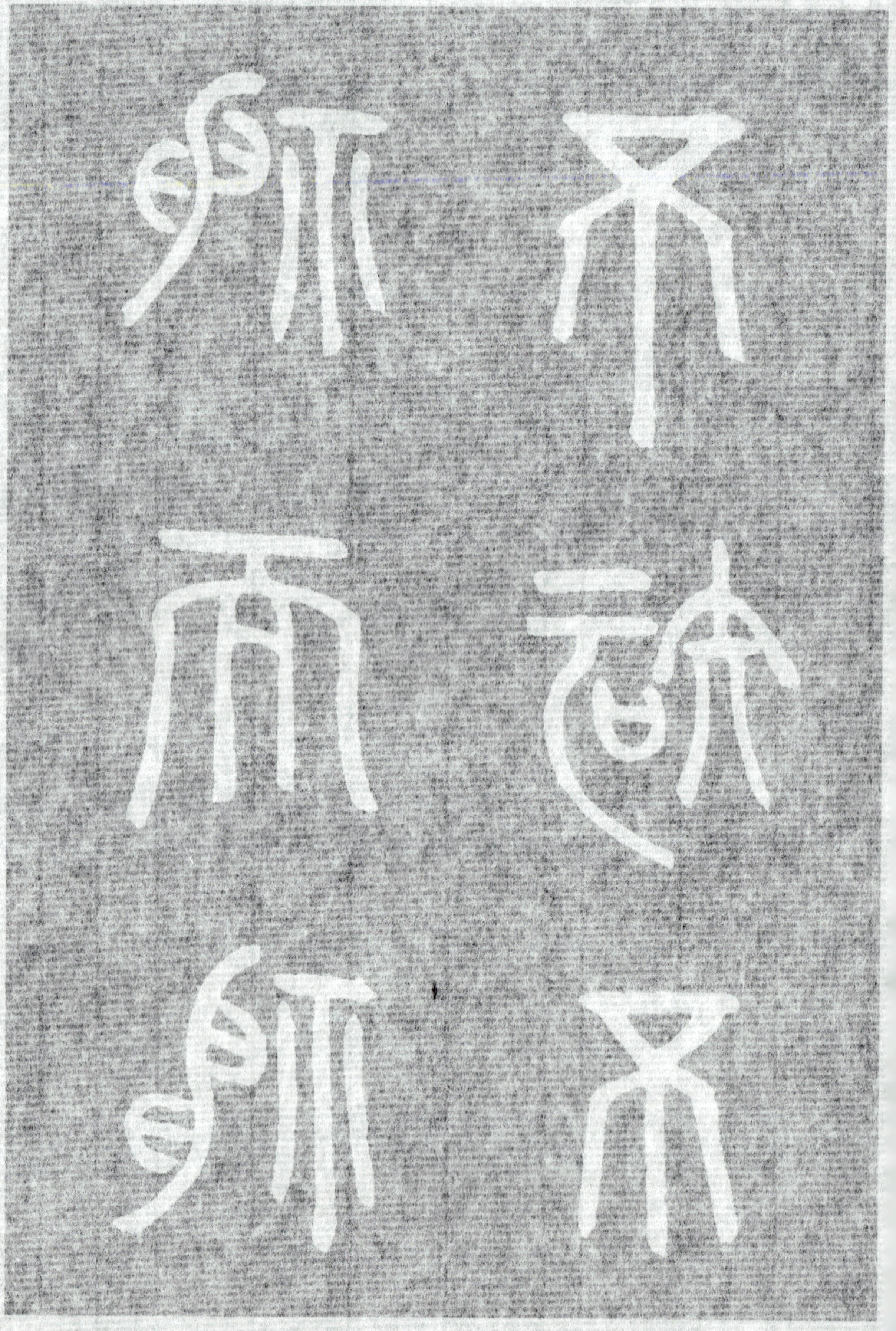

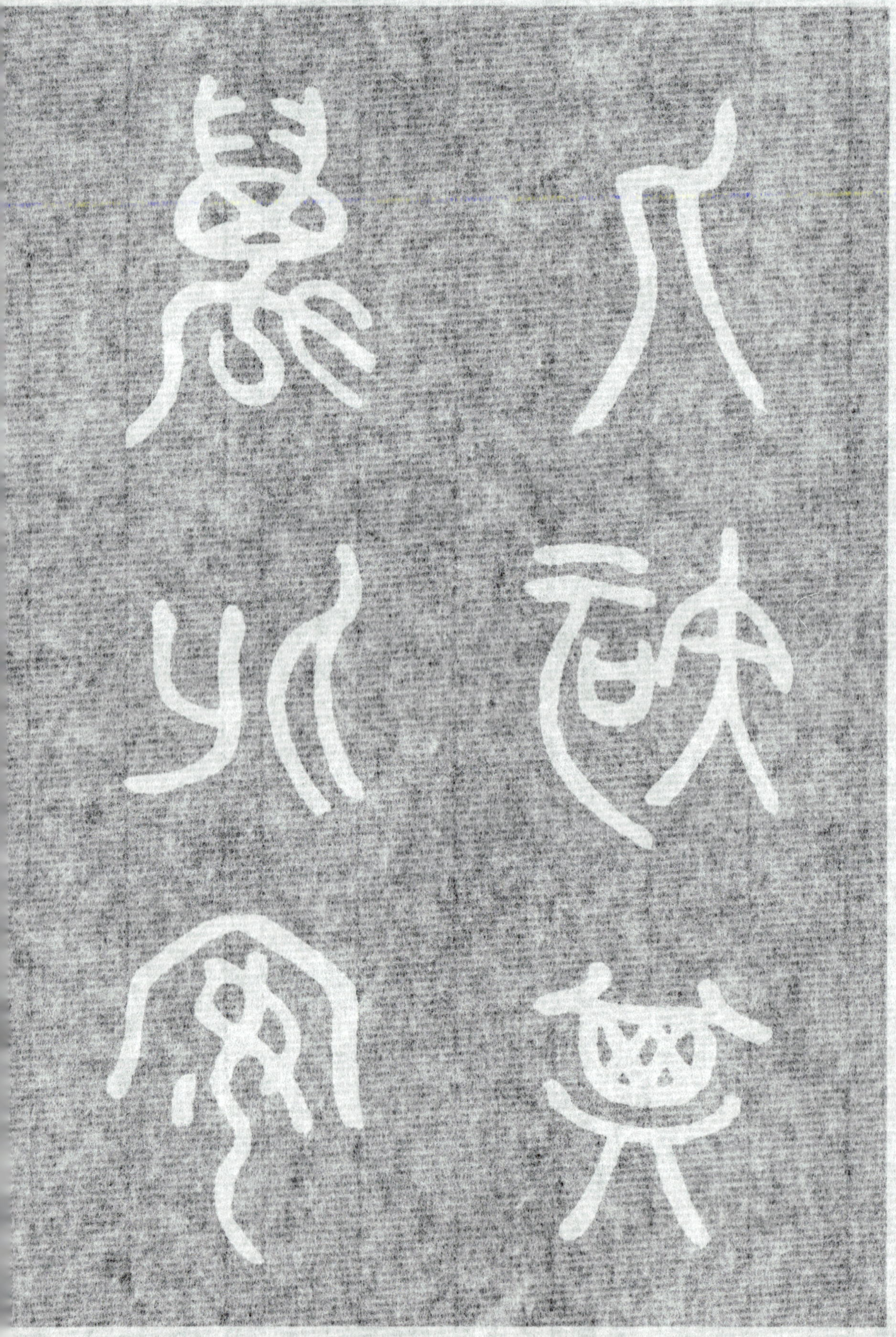

師　　　古　　　　小
而　　　師　　　　大
旅　　　曰　　　　鹿

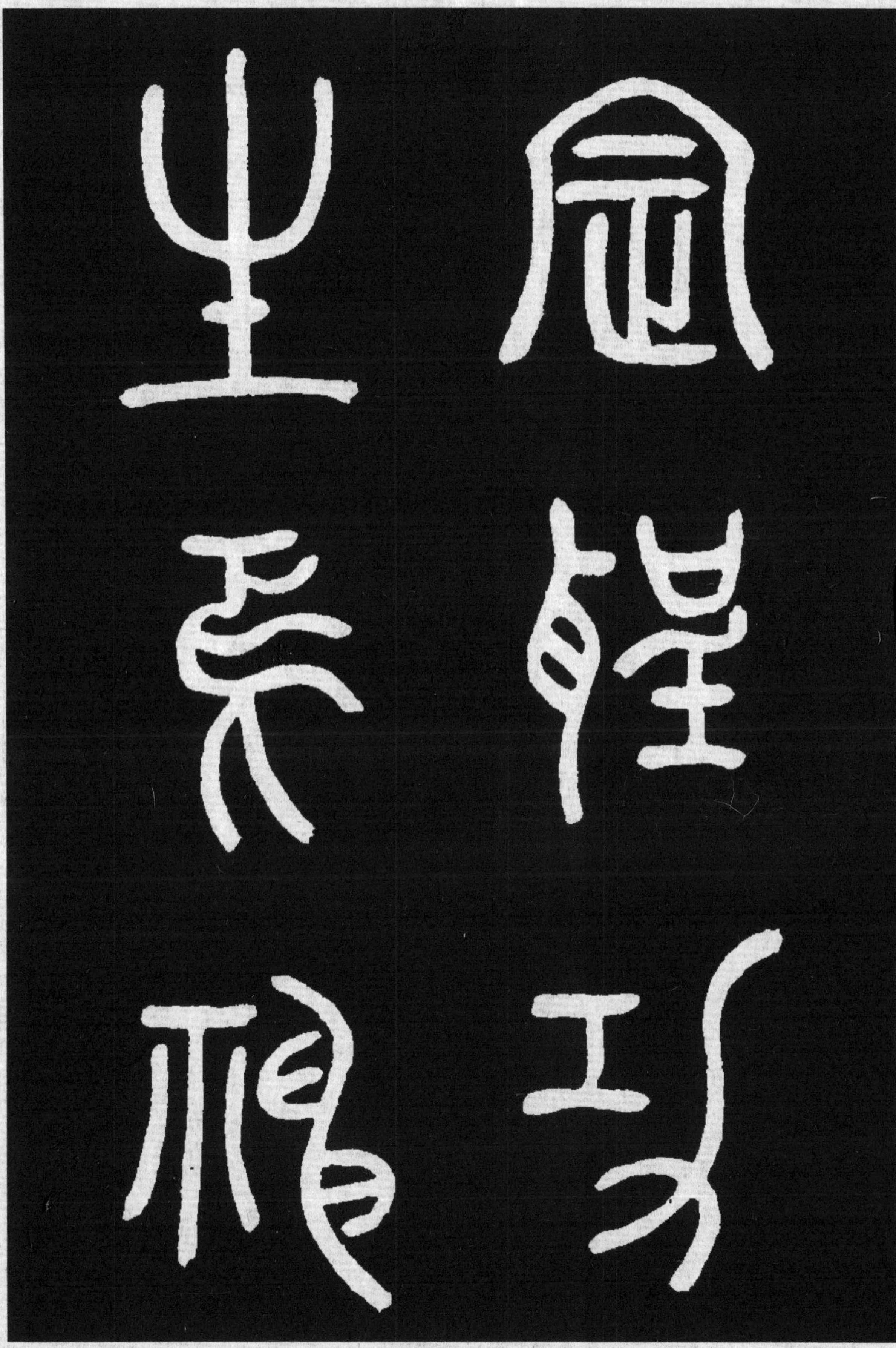

陰符經

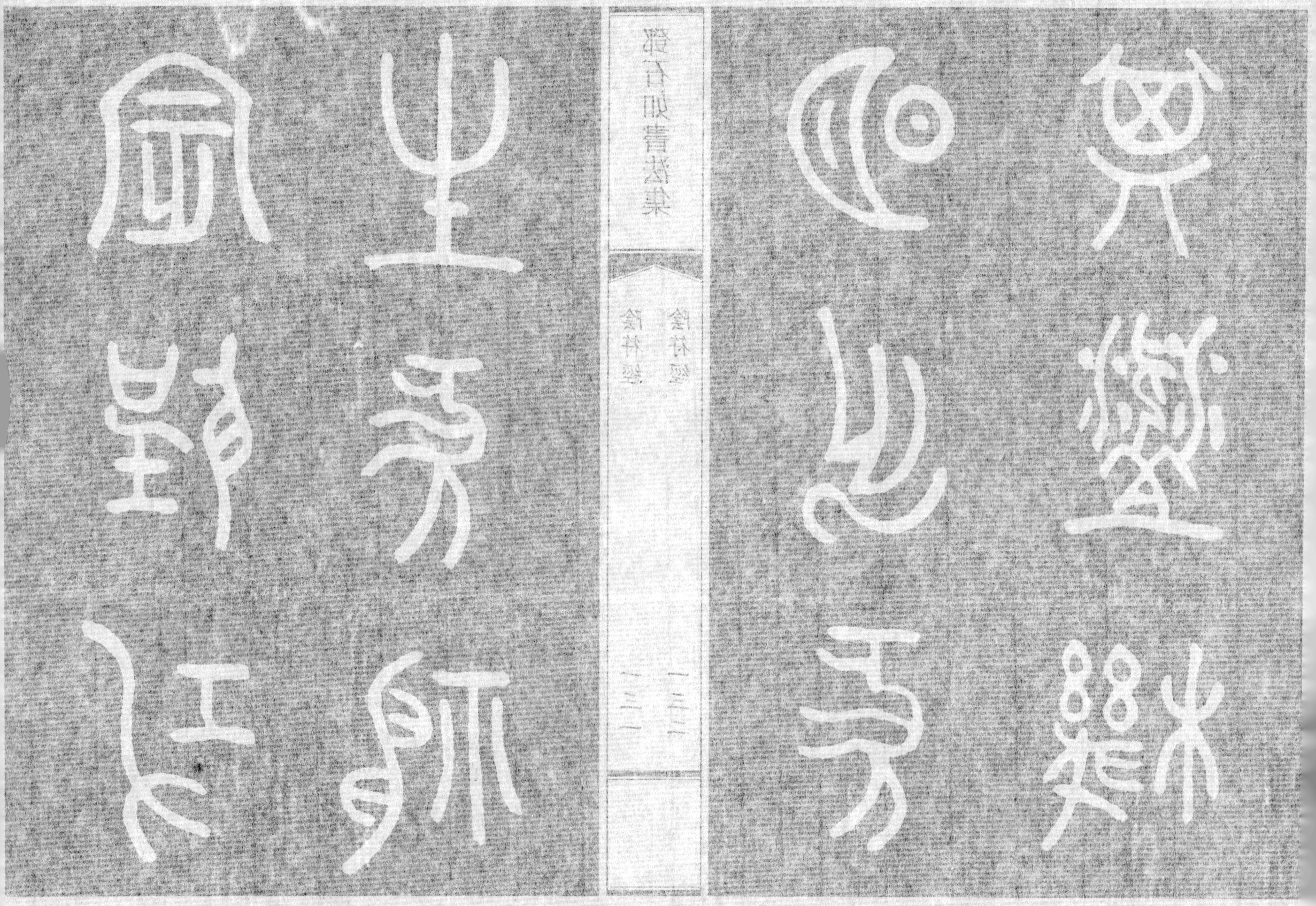
鄧石如書法集
陰符經

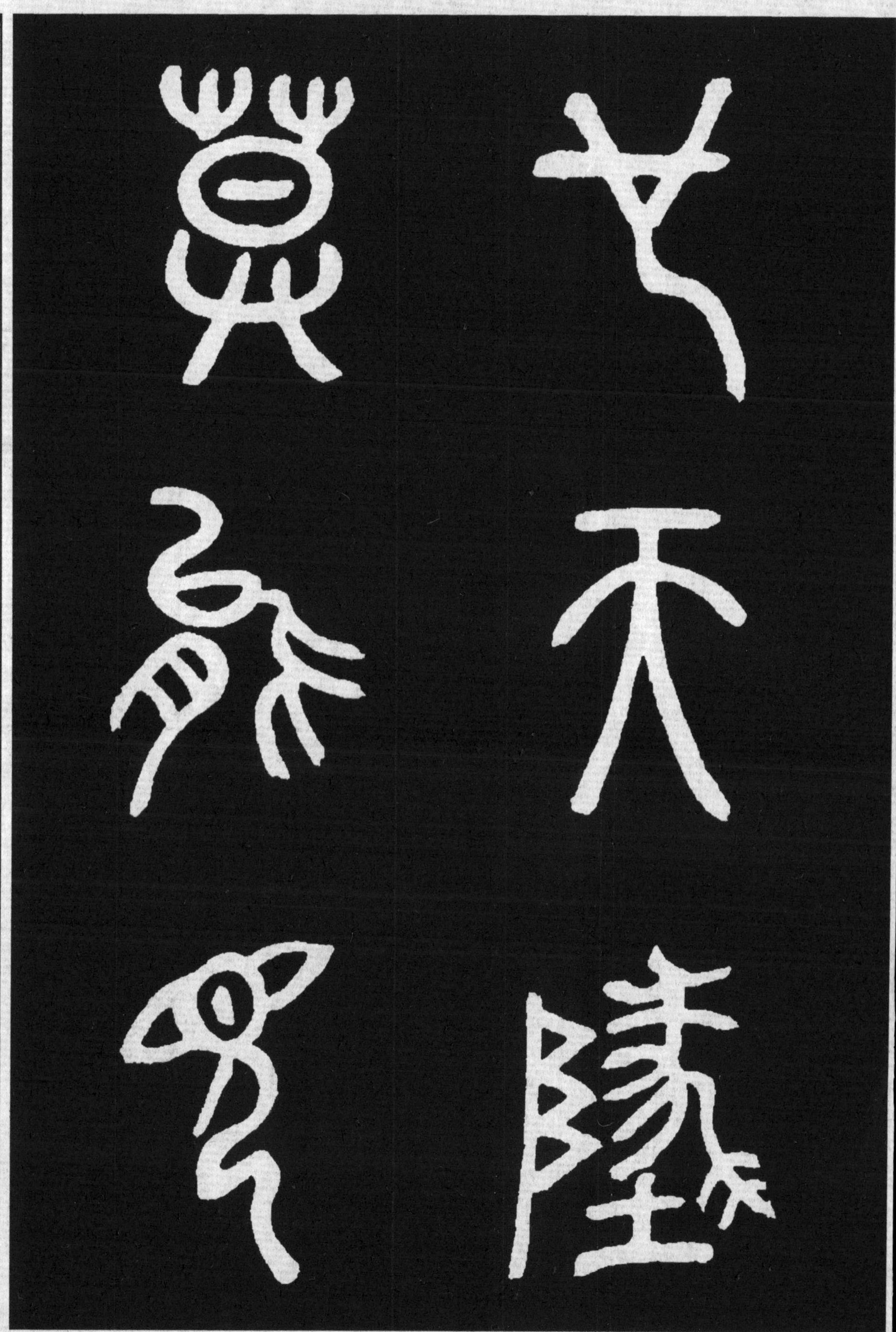

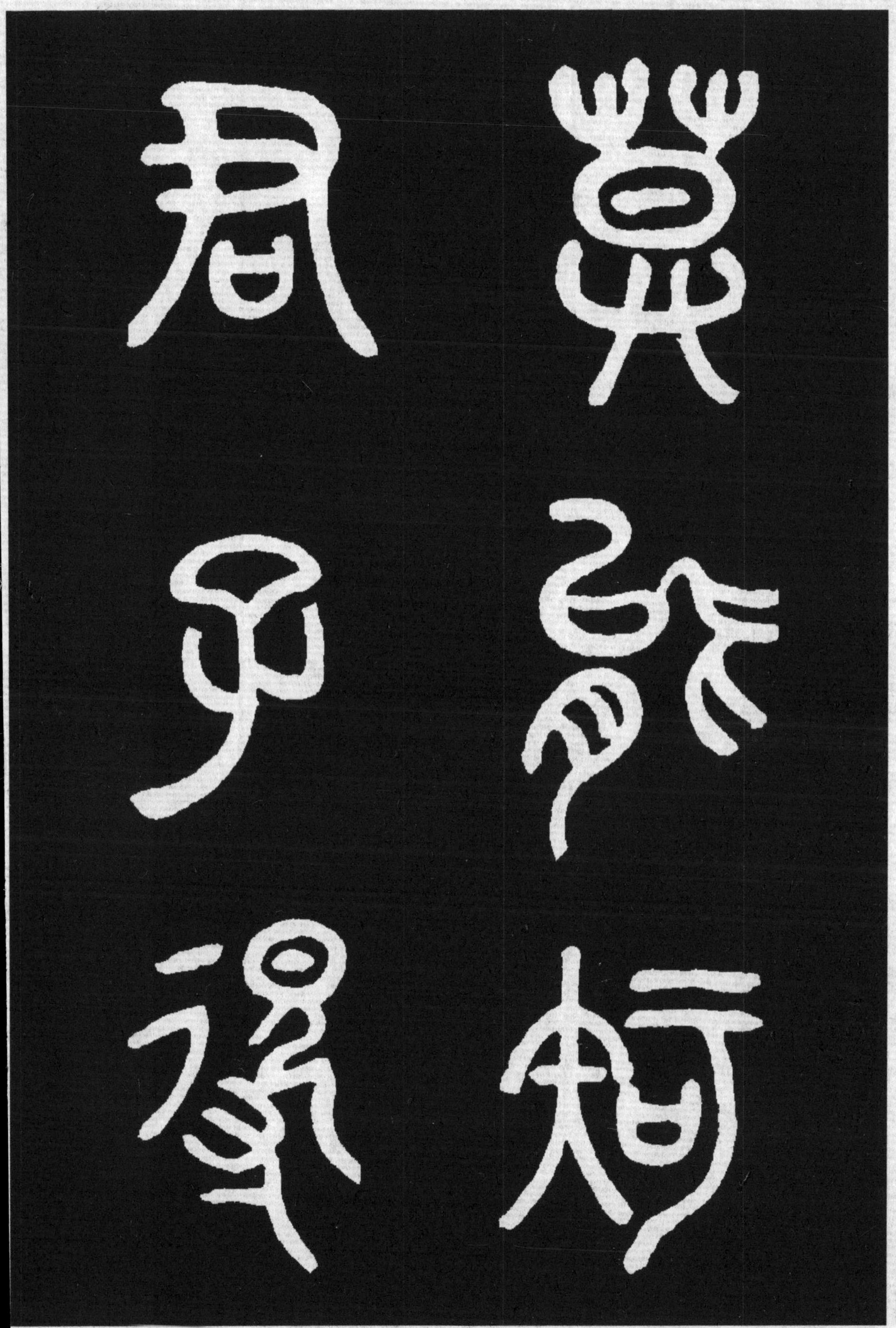

篆書系青史集

劉備墓

劍苑鈔

一二三四

一二三

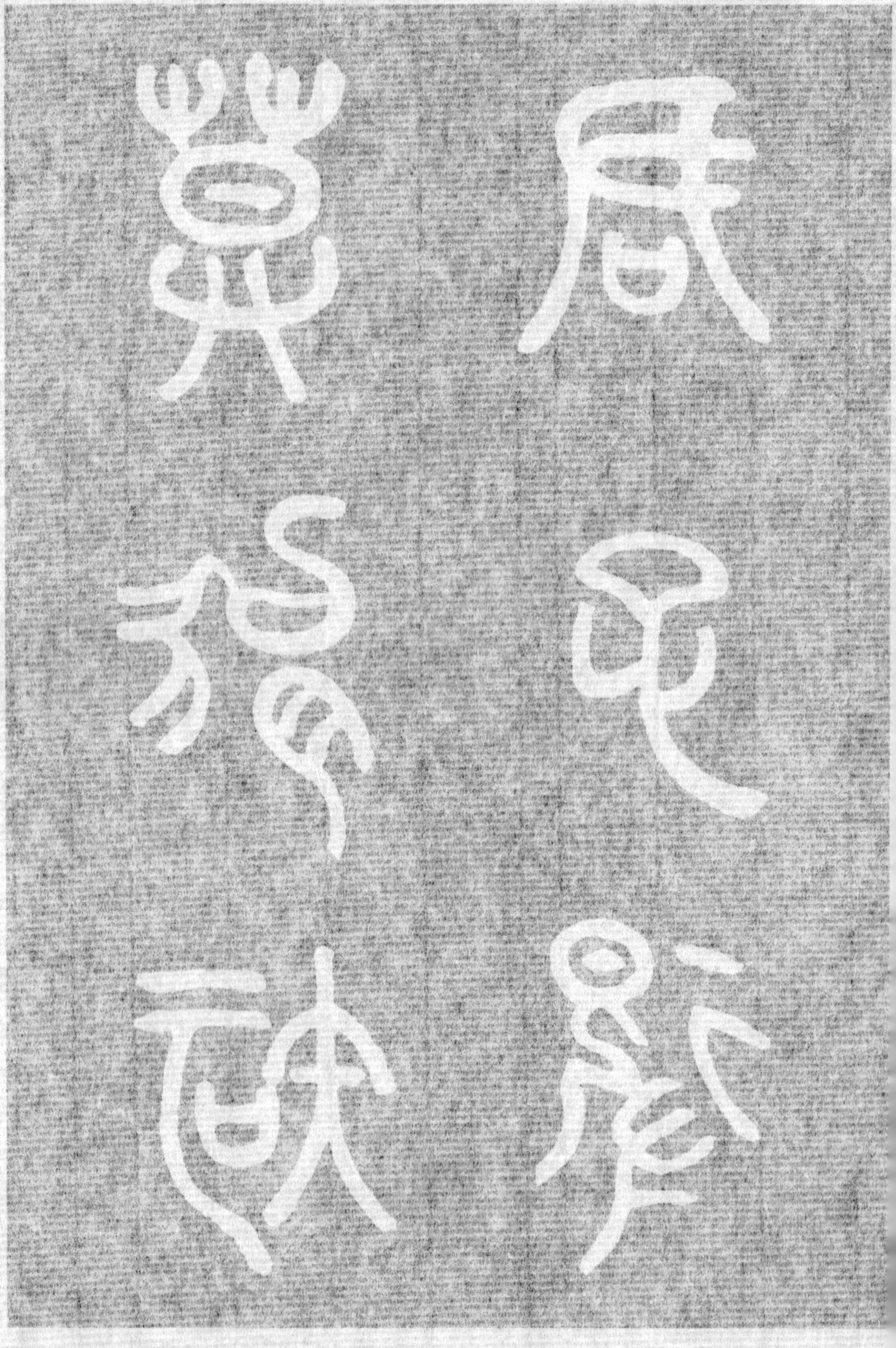

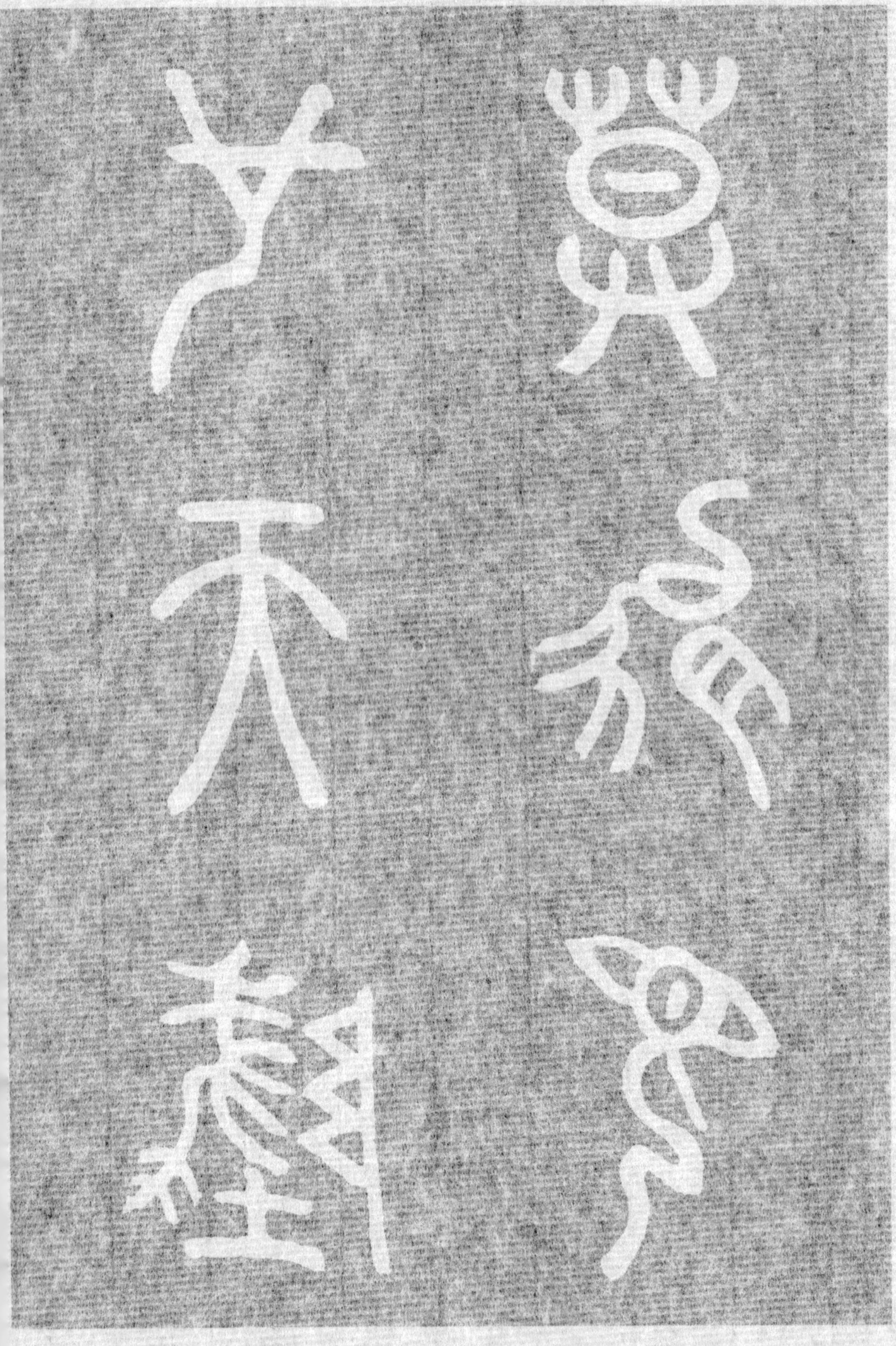

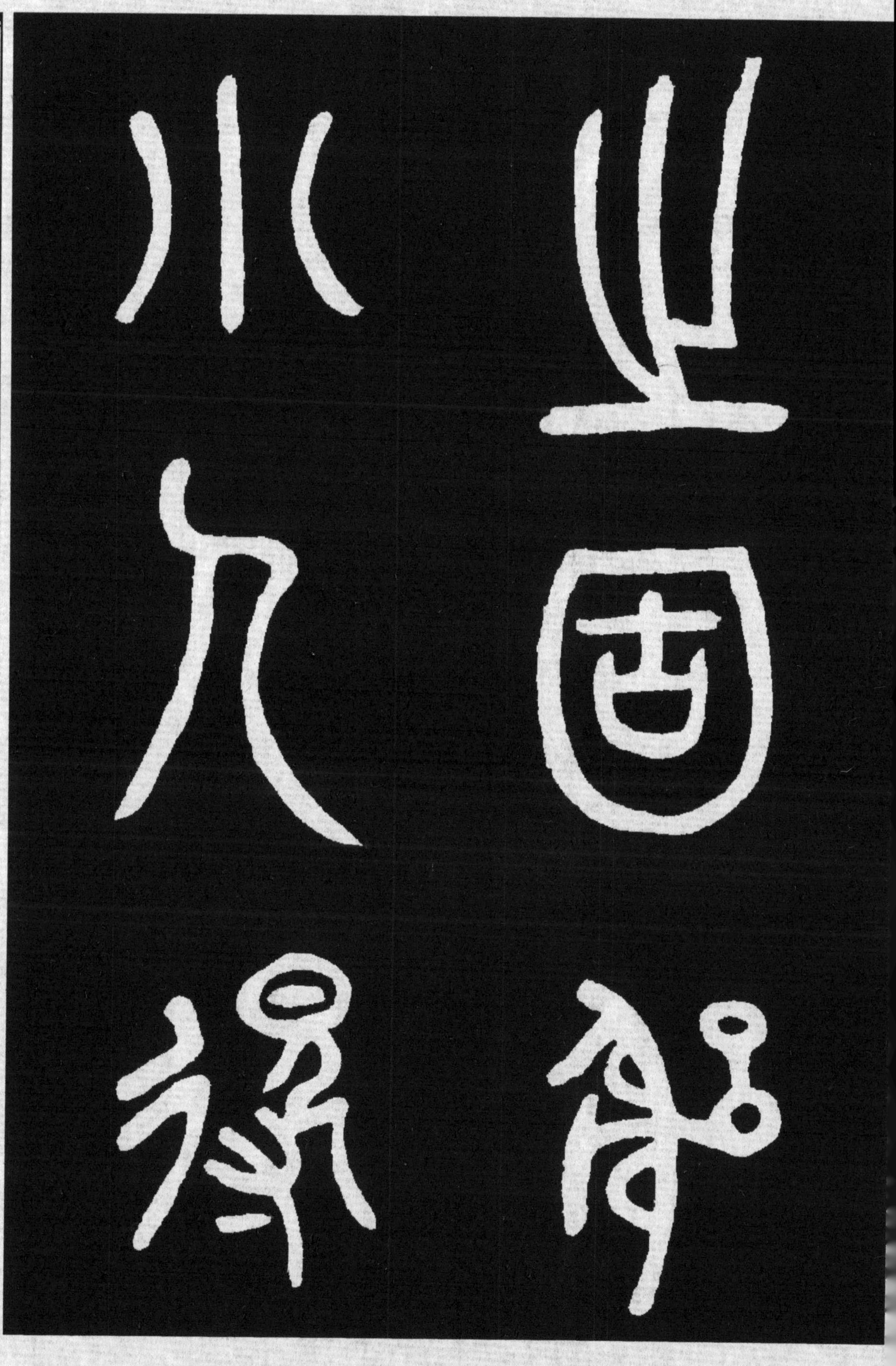

聽聾者
善視絕

利一源
用師十

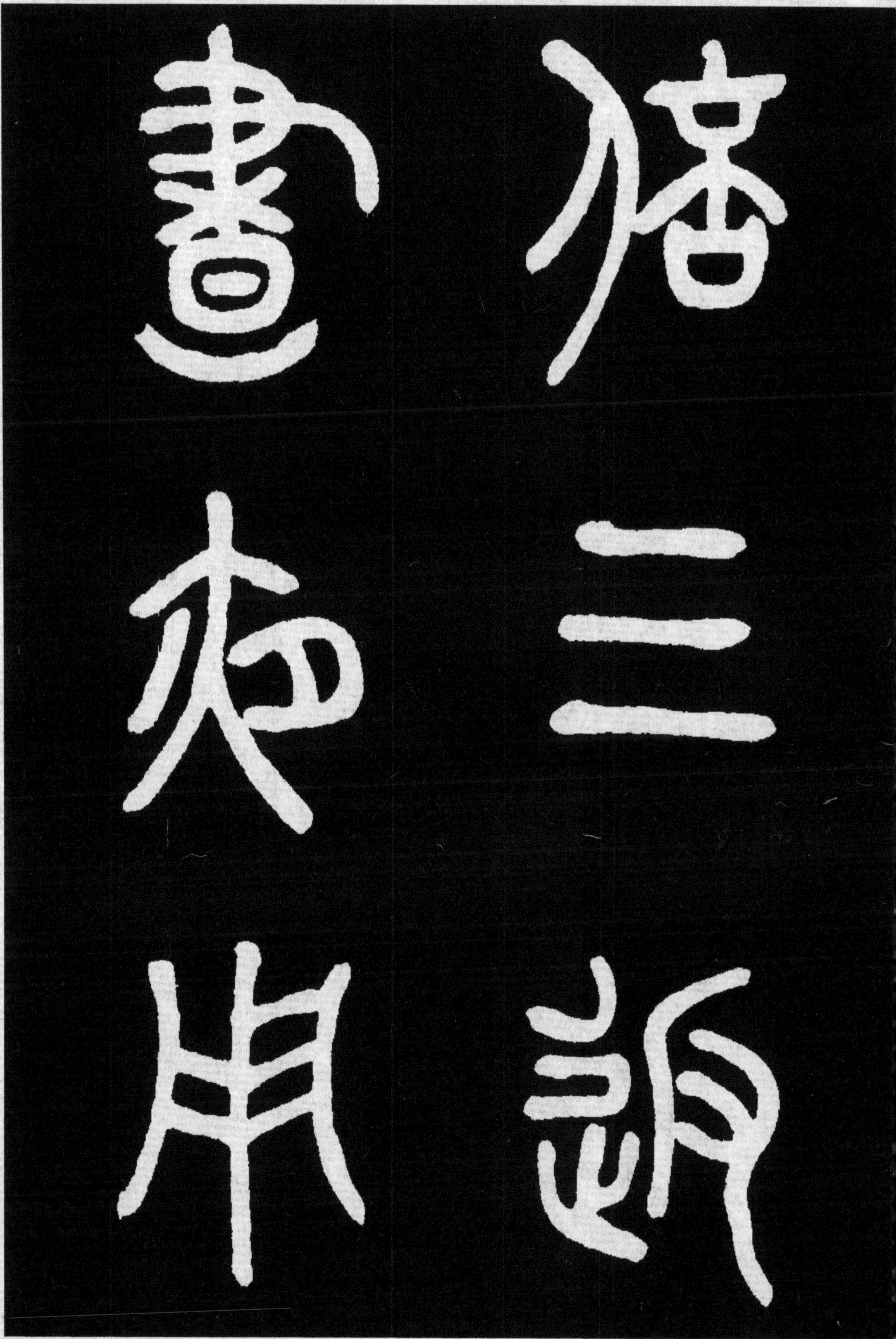
倍三返
晝夜用

師萬倍
心生於

裘錫圭書法集

篆書經
篆書經

一四〇
二七七

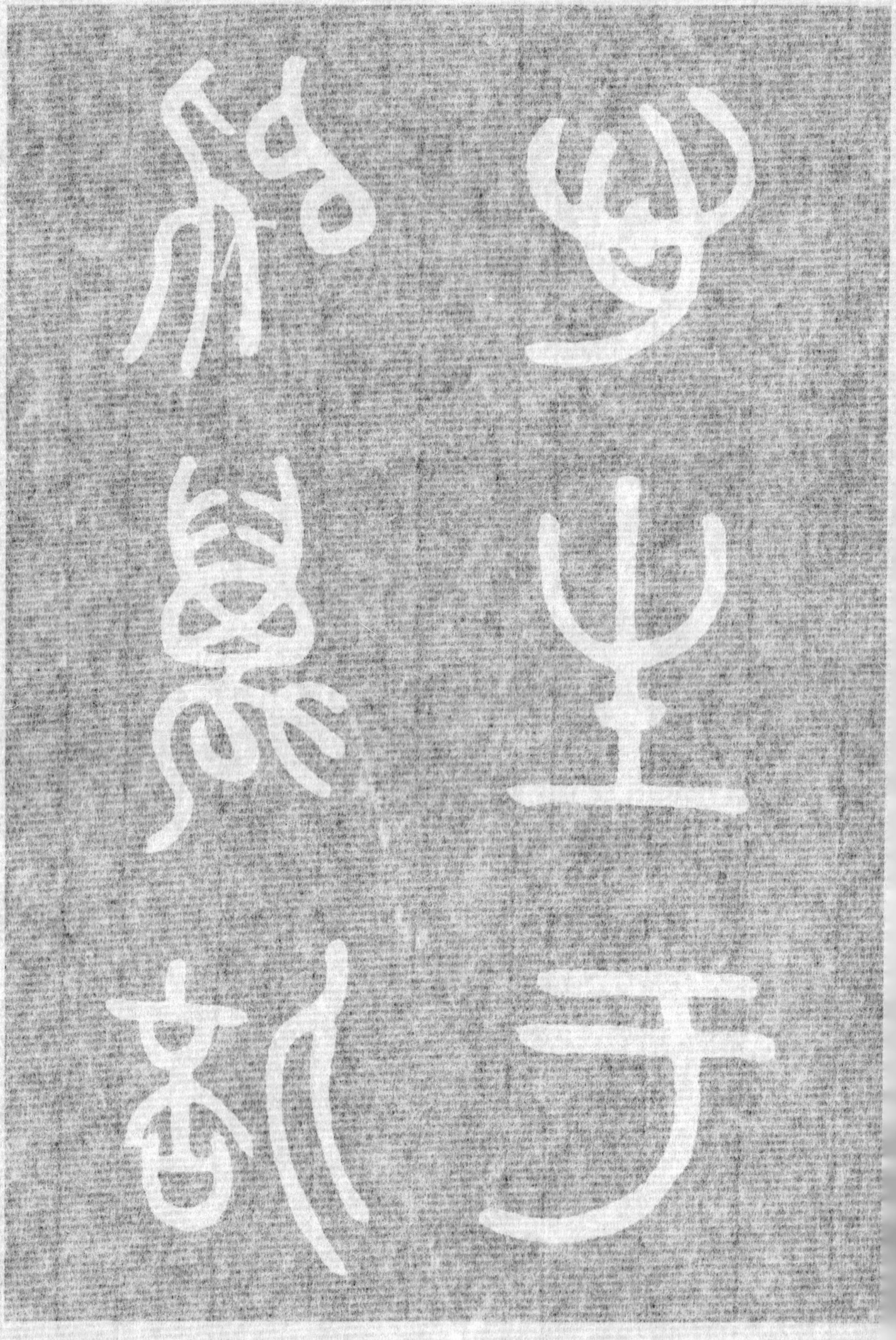

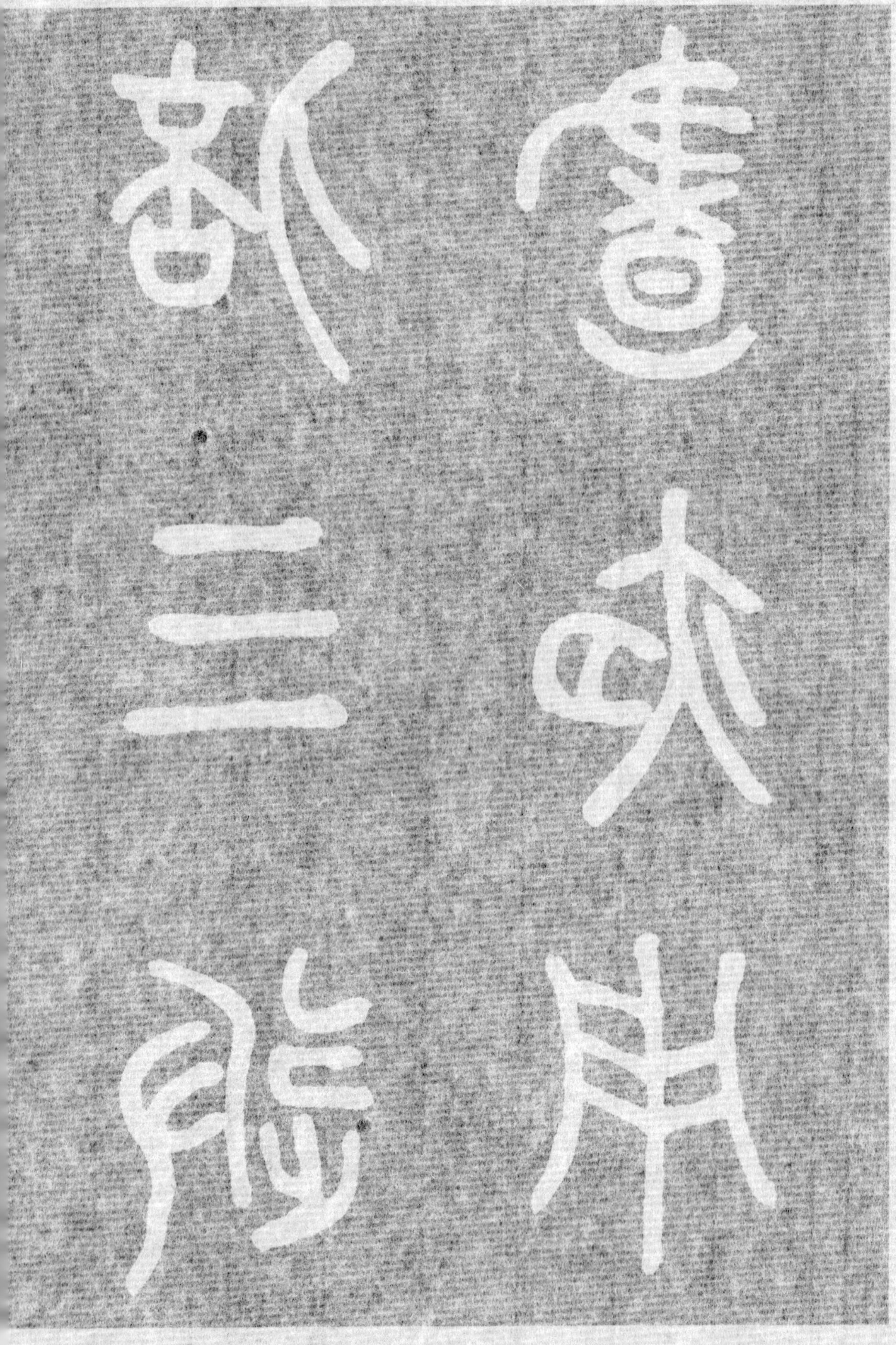

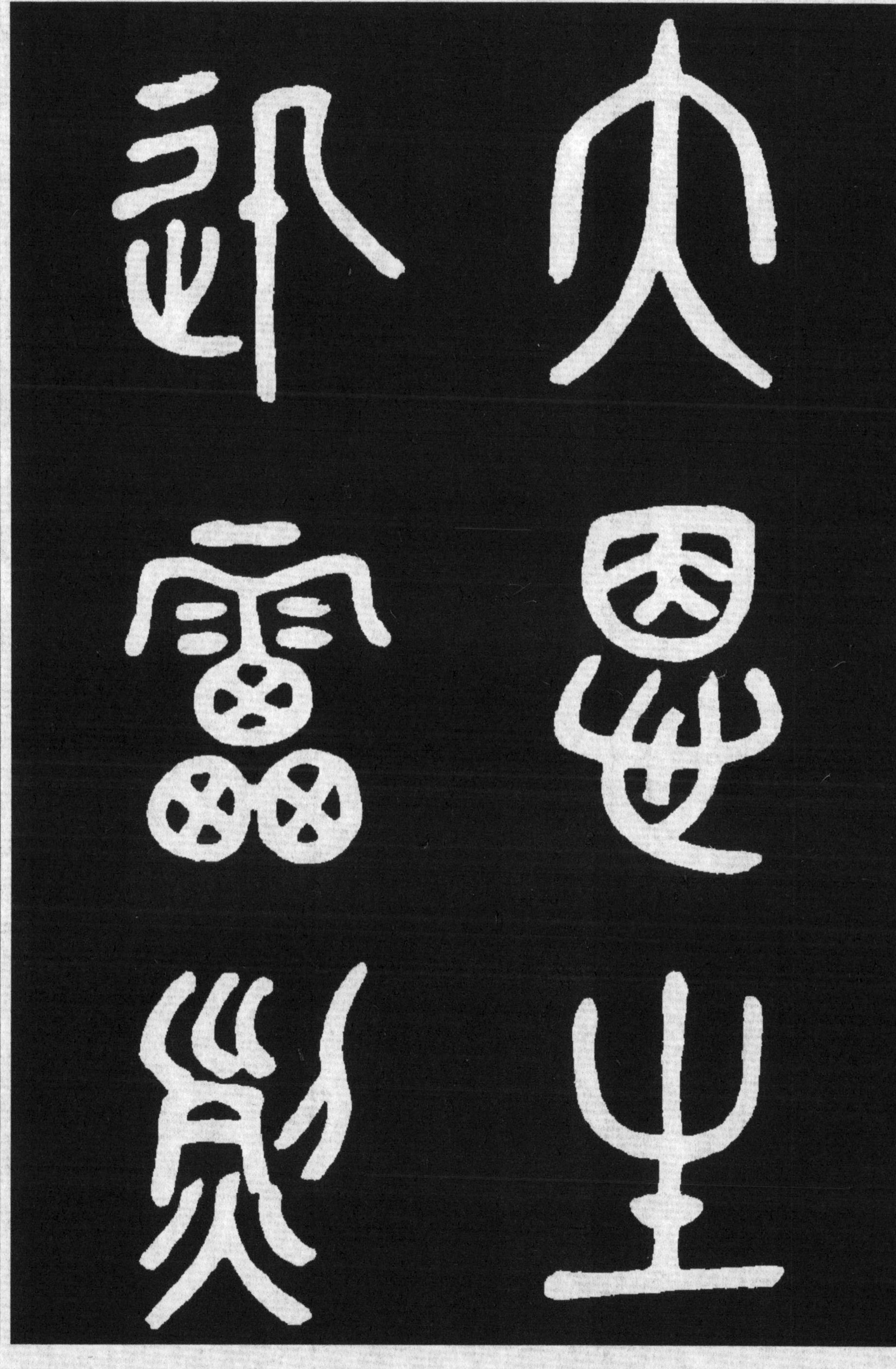

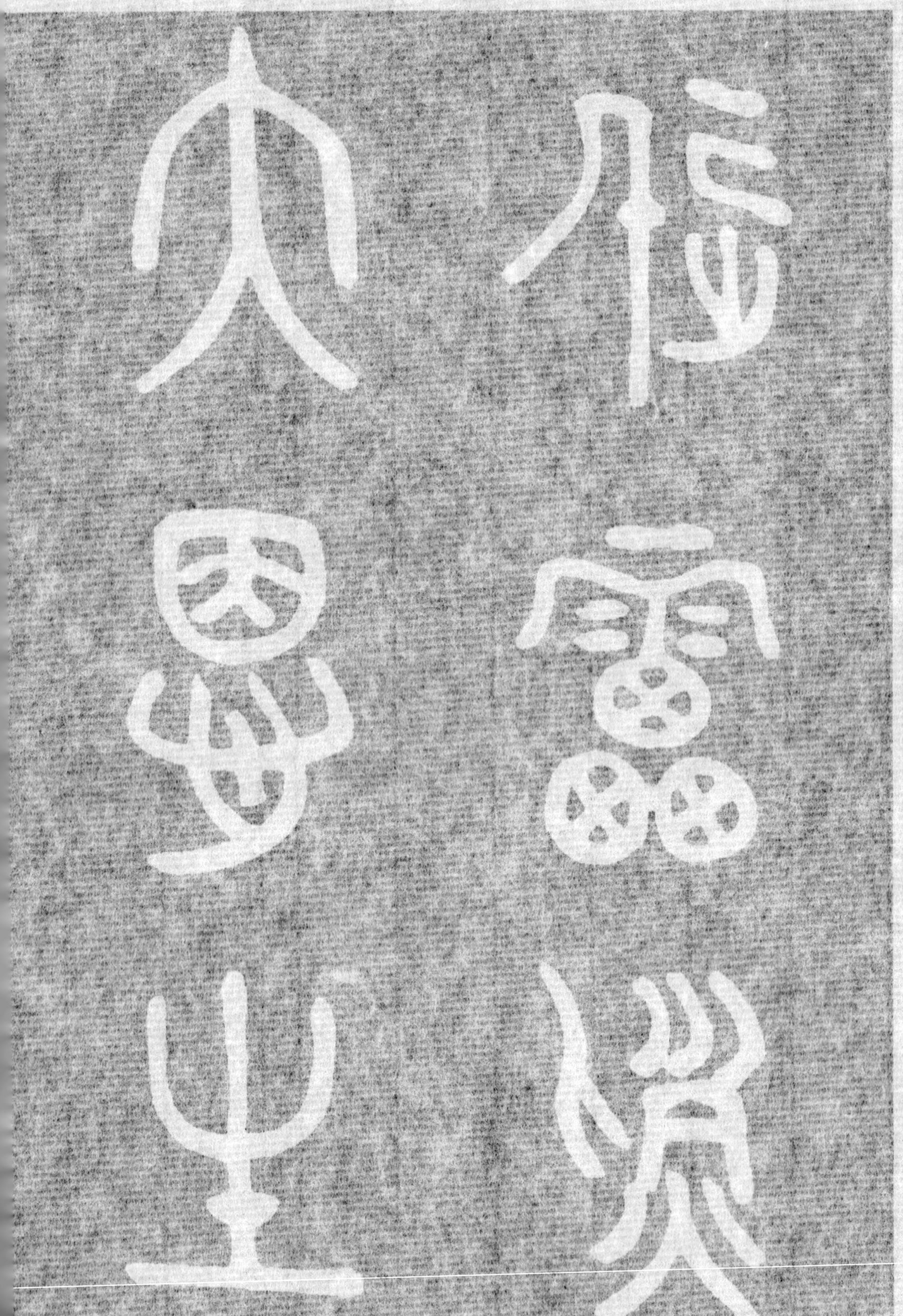

鄧石如書法集

陰符經　一四四

陰符經　一四三

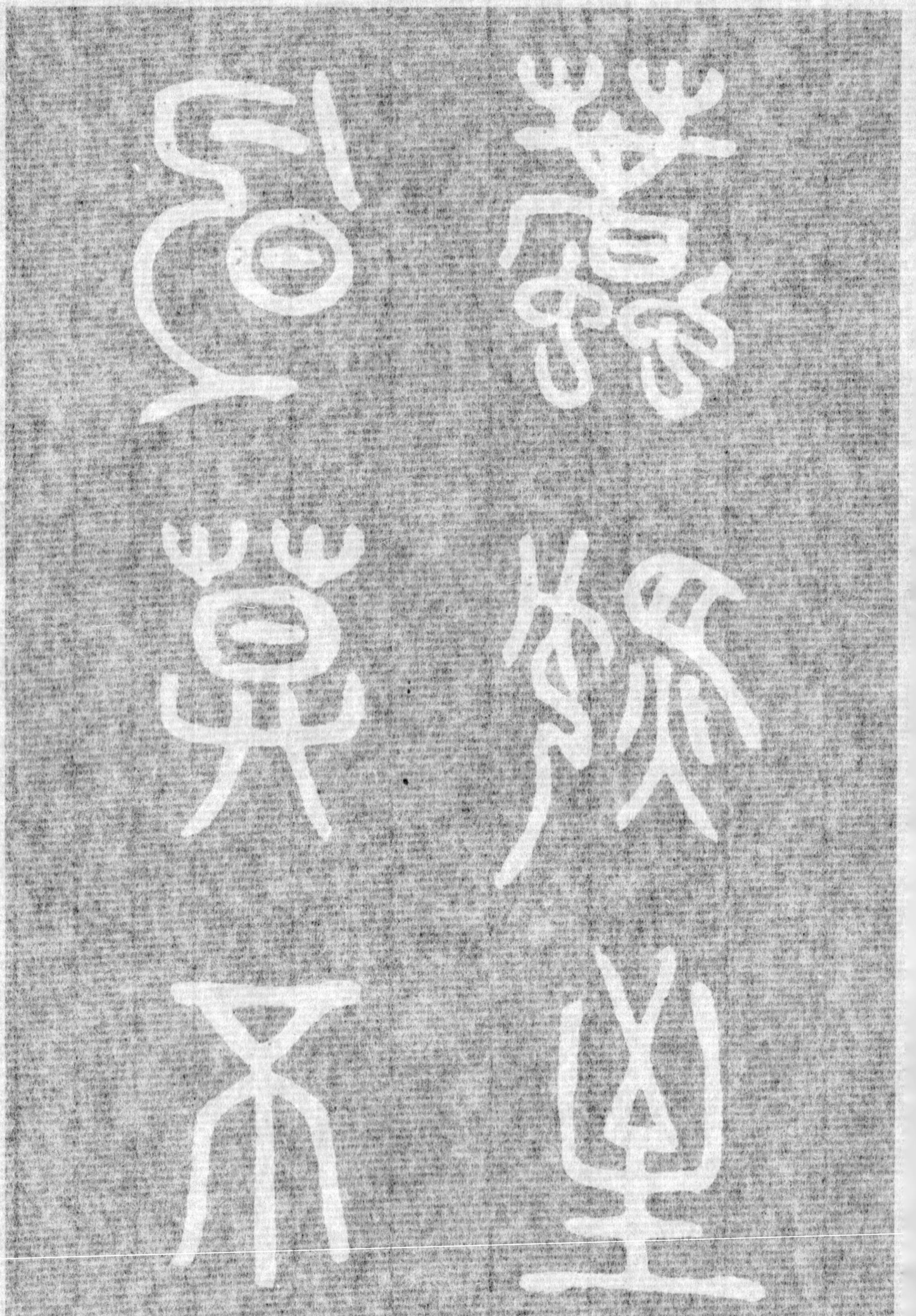

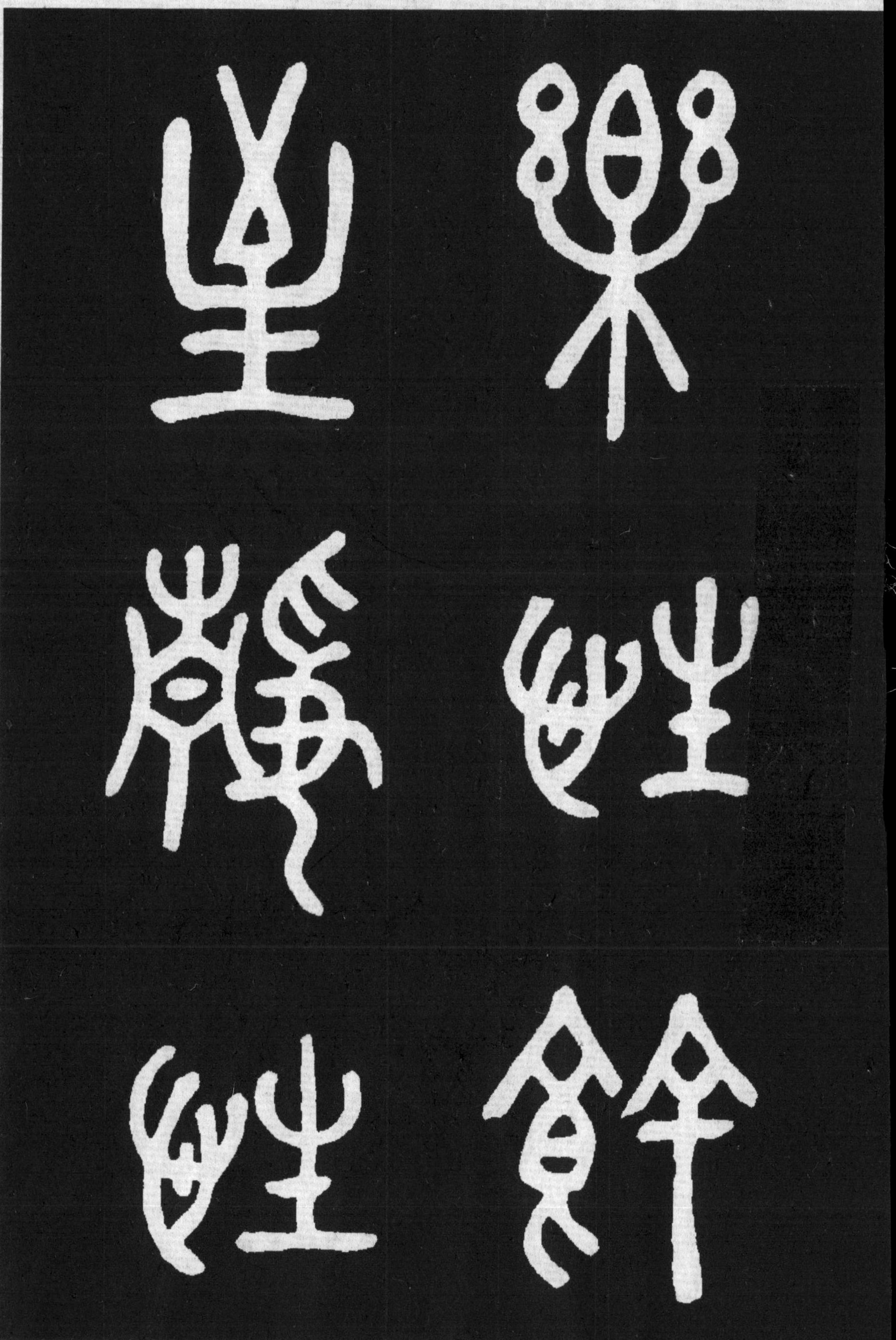

樂性餘
至靜性

廉天之
至私用

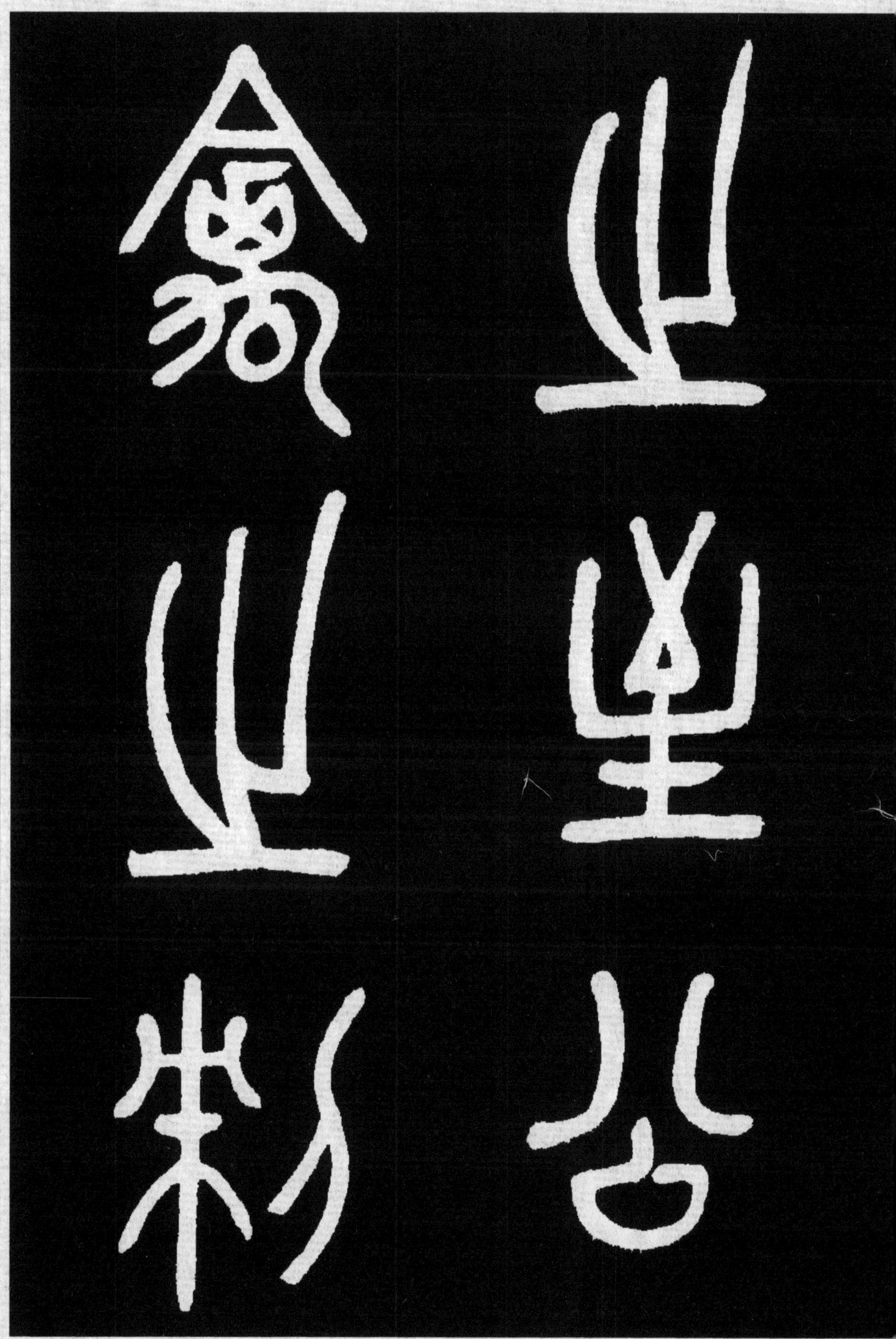

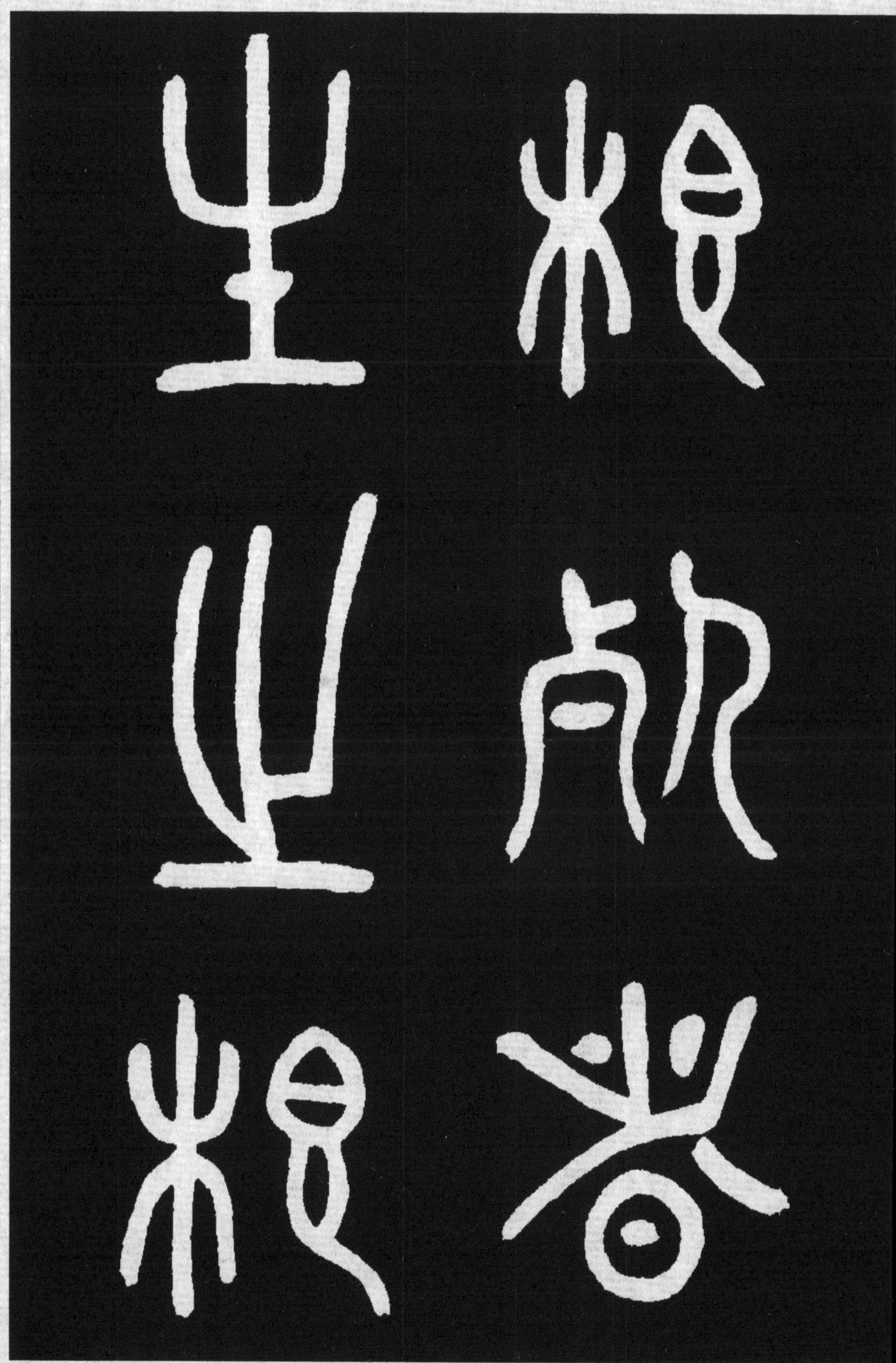
根死者
生之根

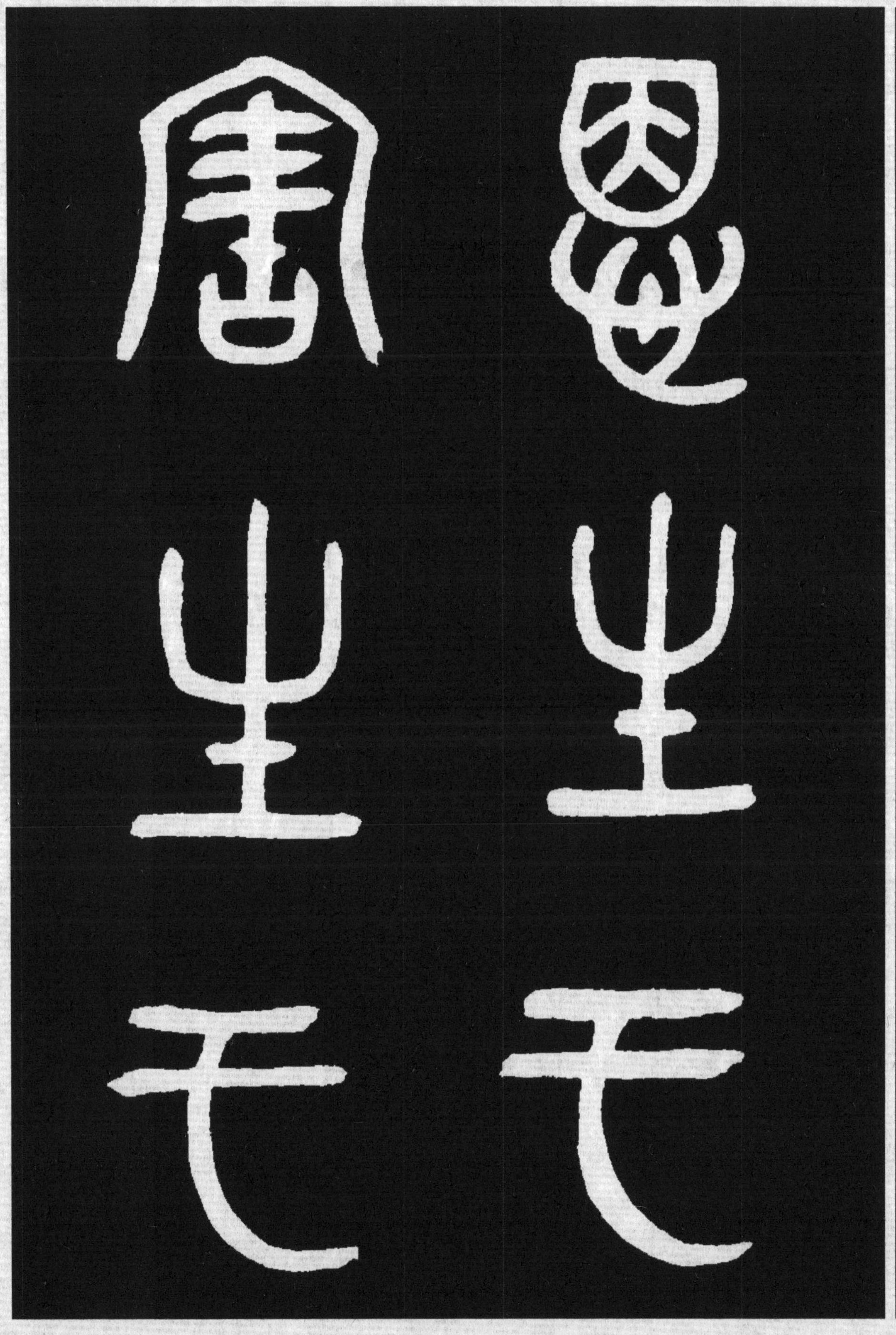
恩生於
害生於

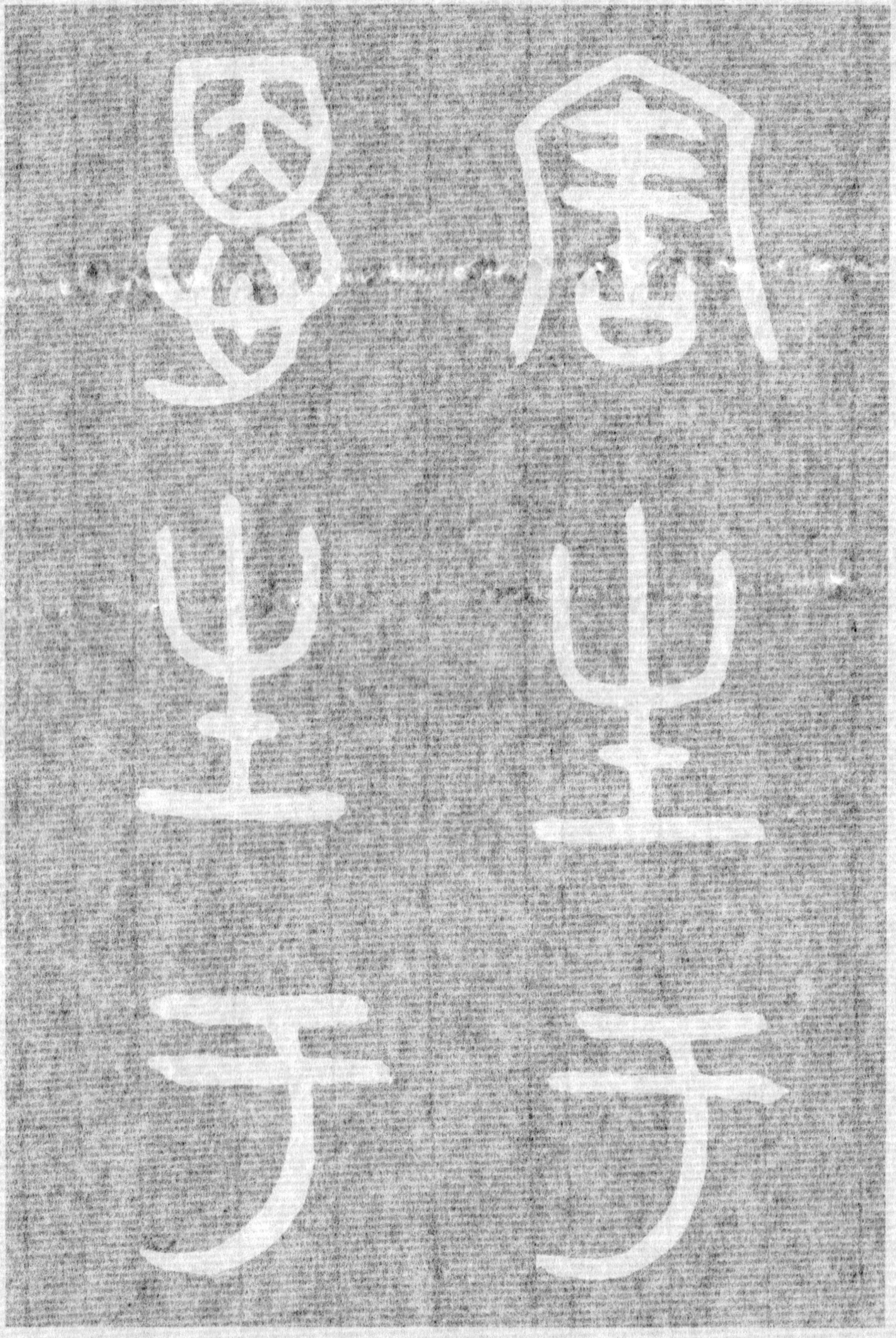

陰符經　陰符經

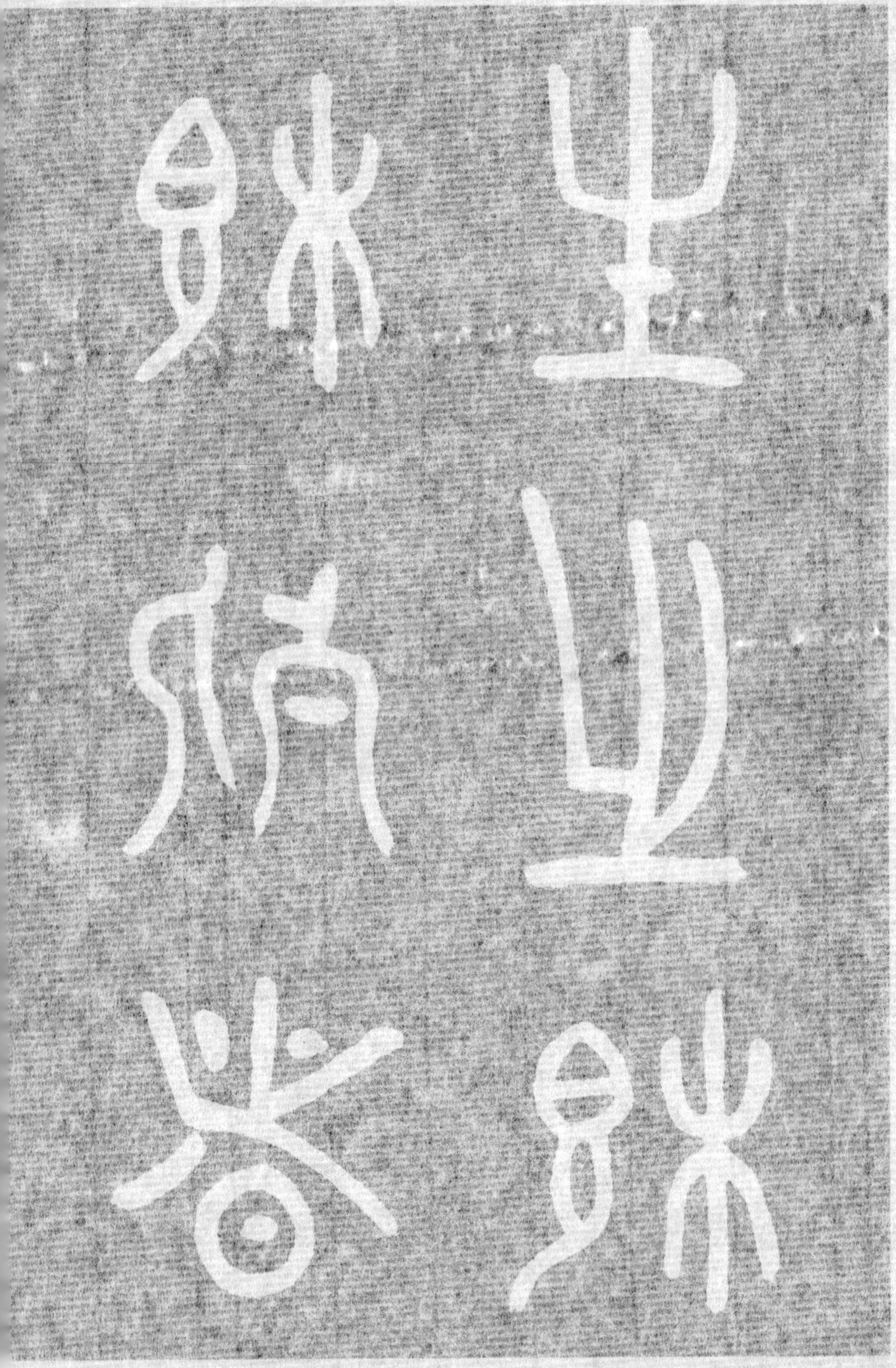

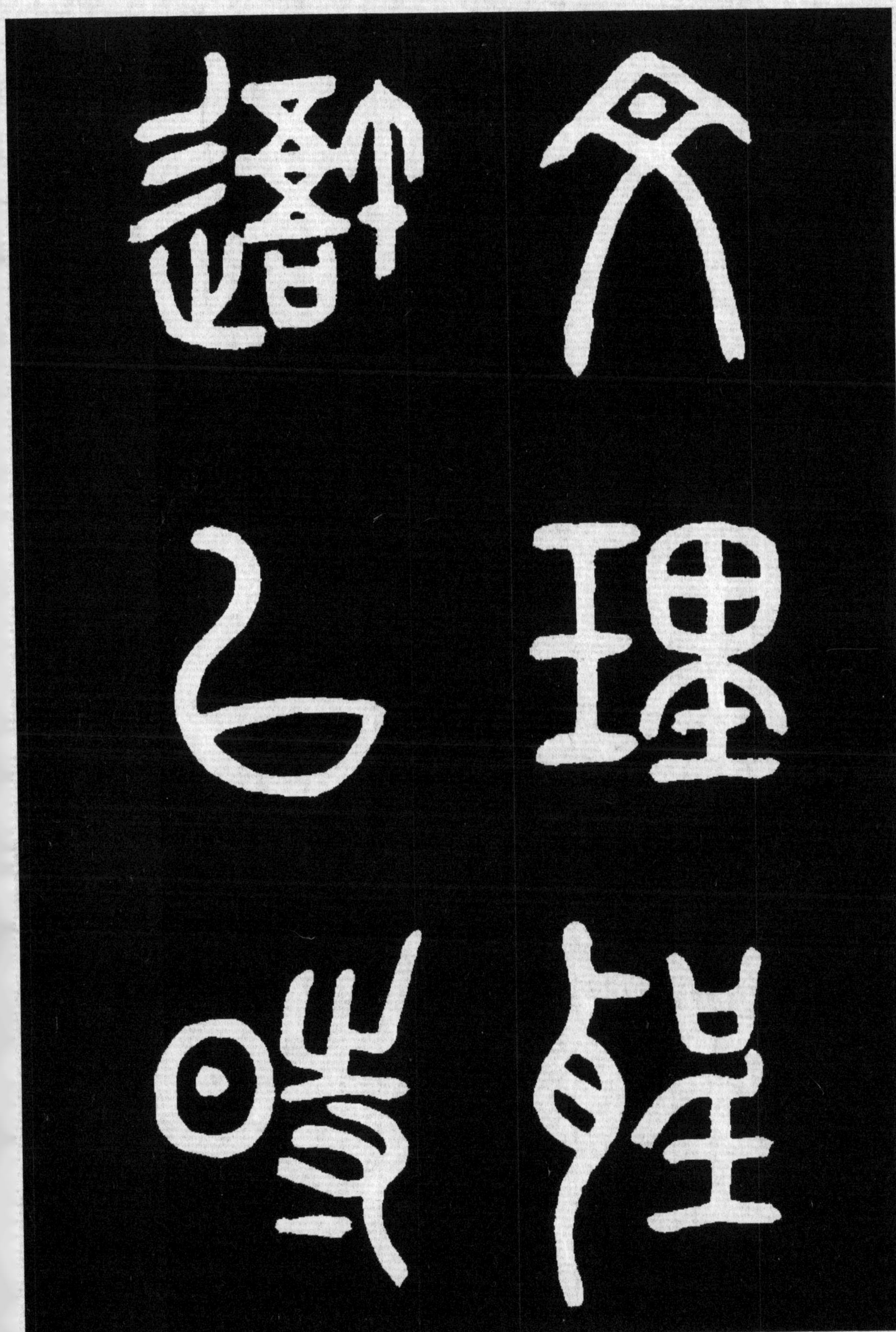

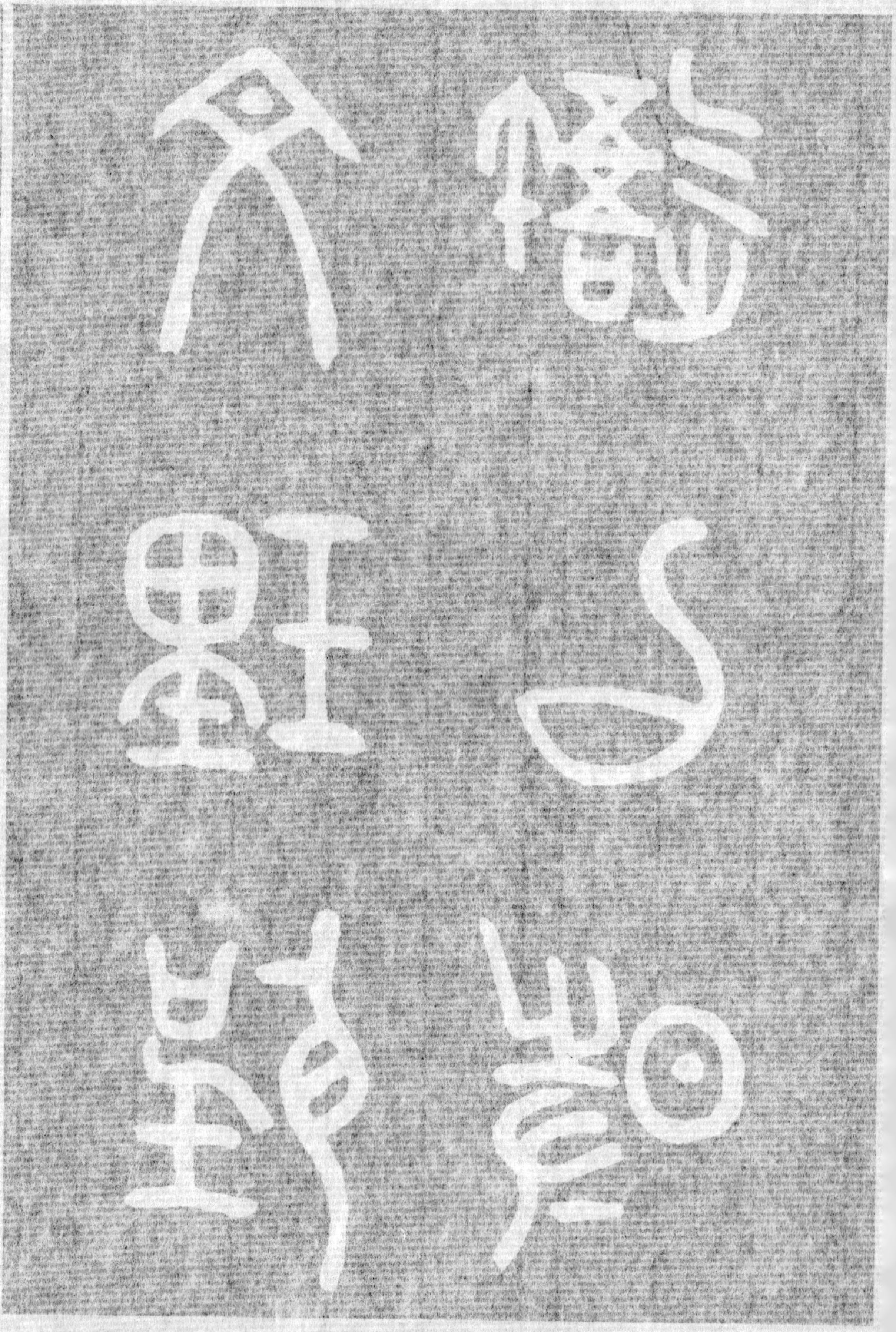

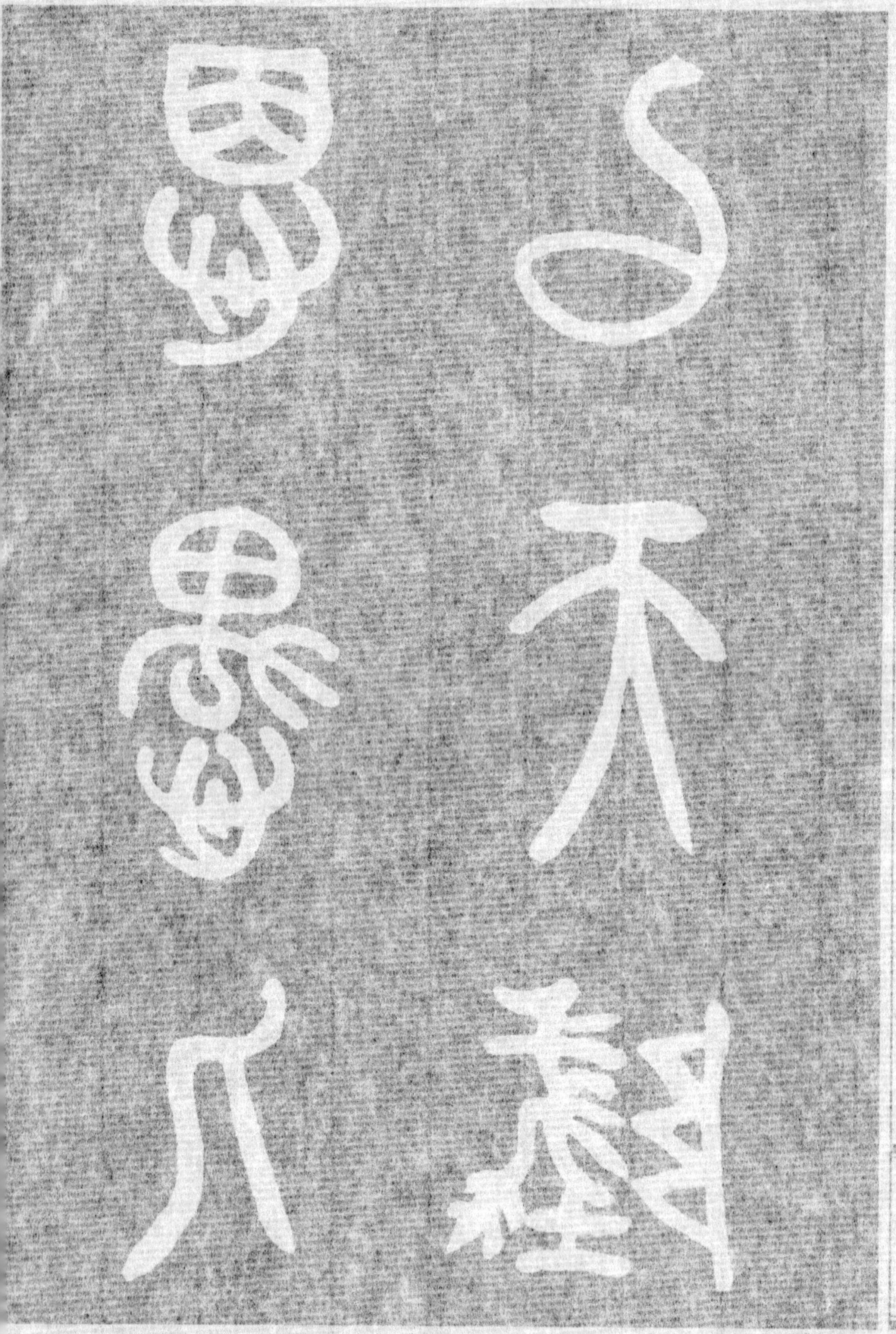

鄧石如書法集

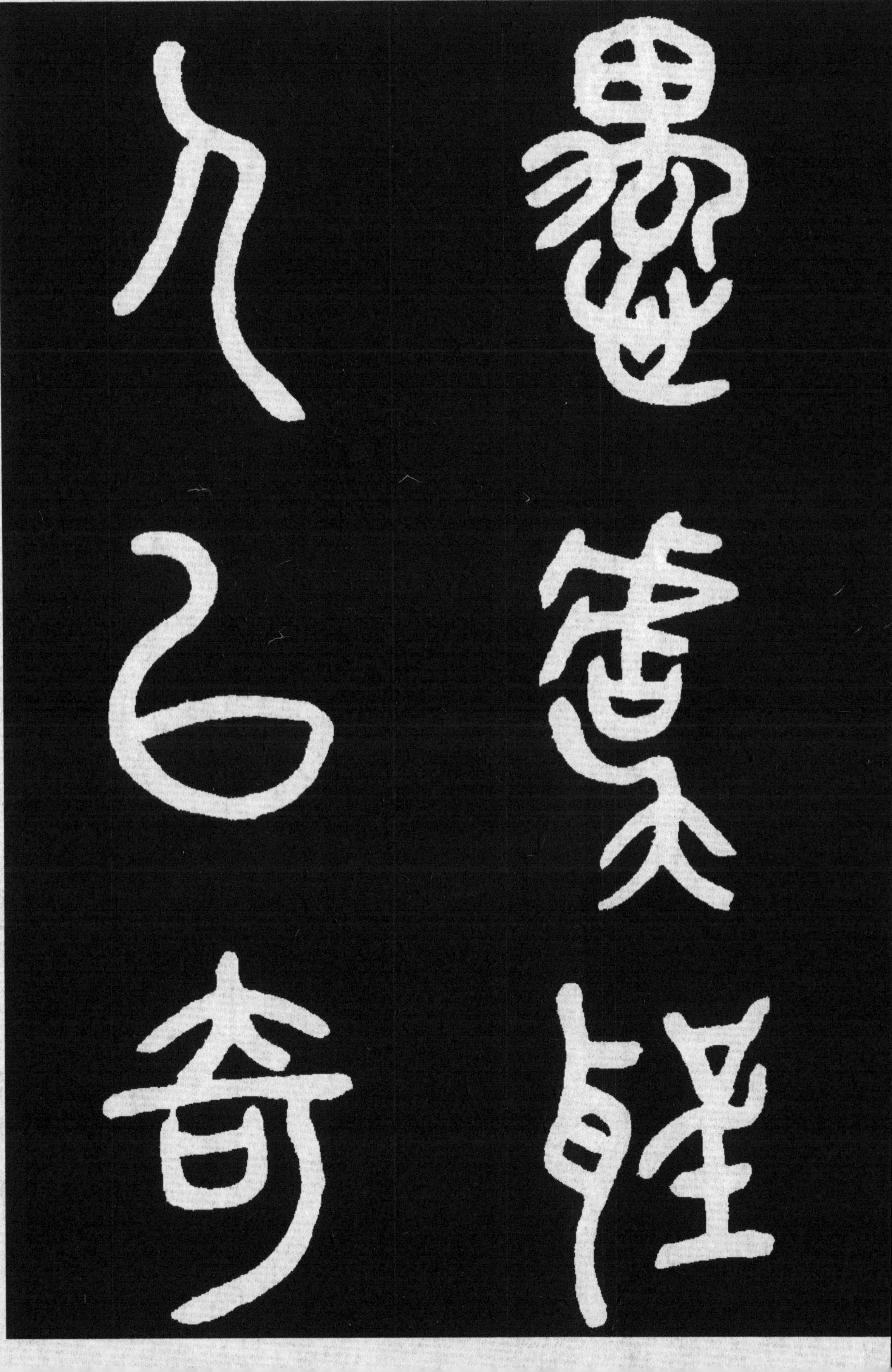

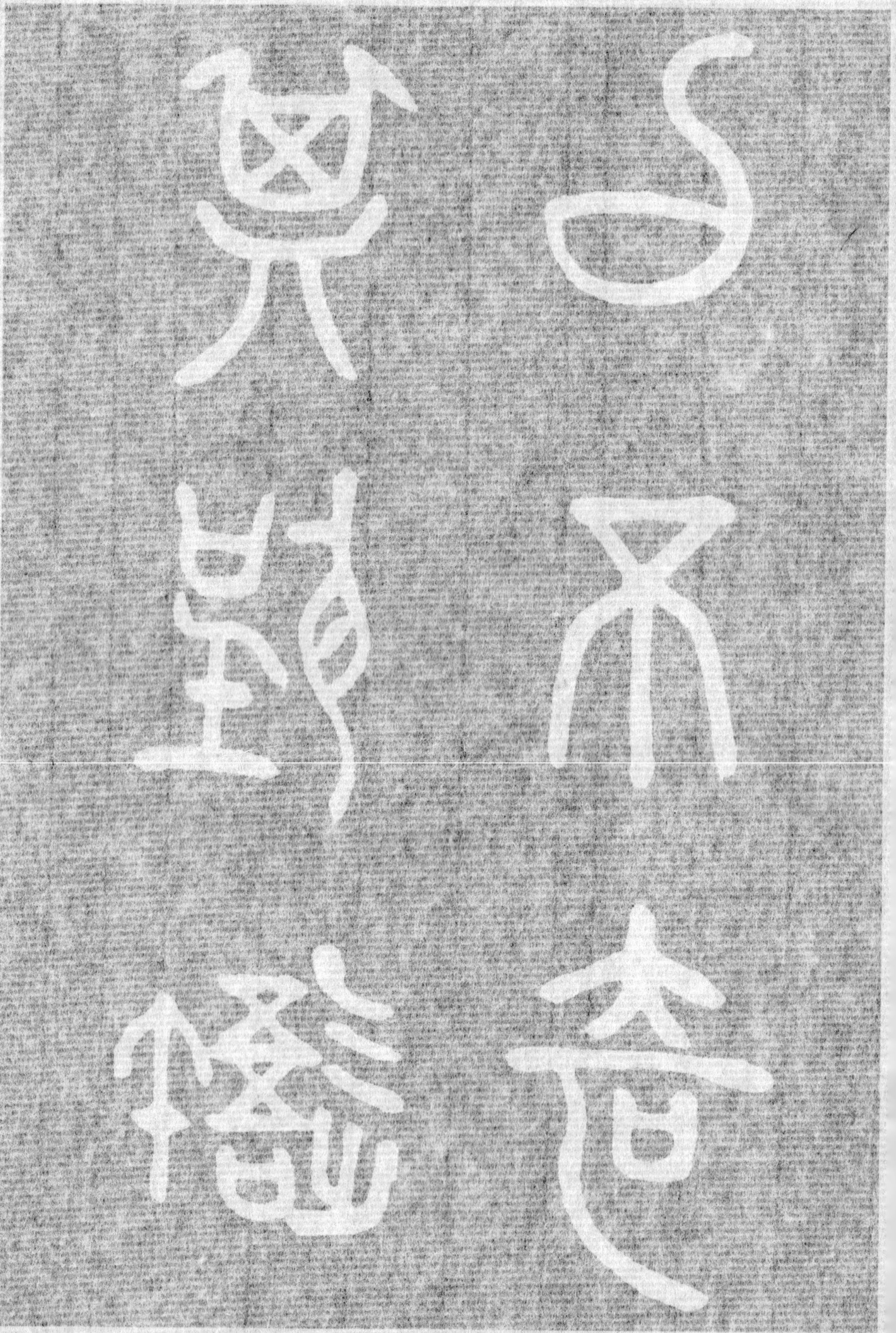

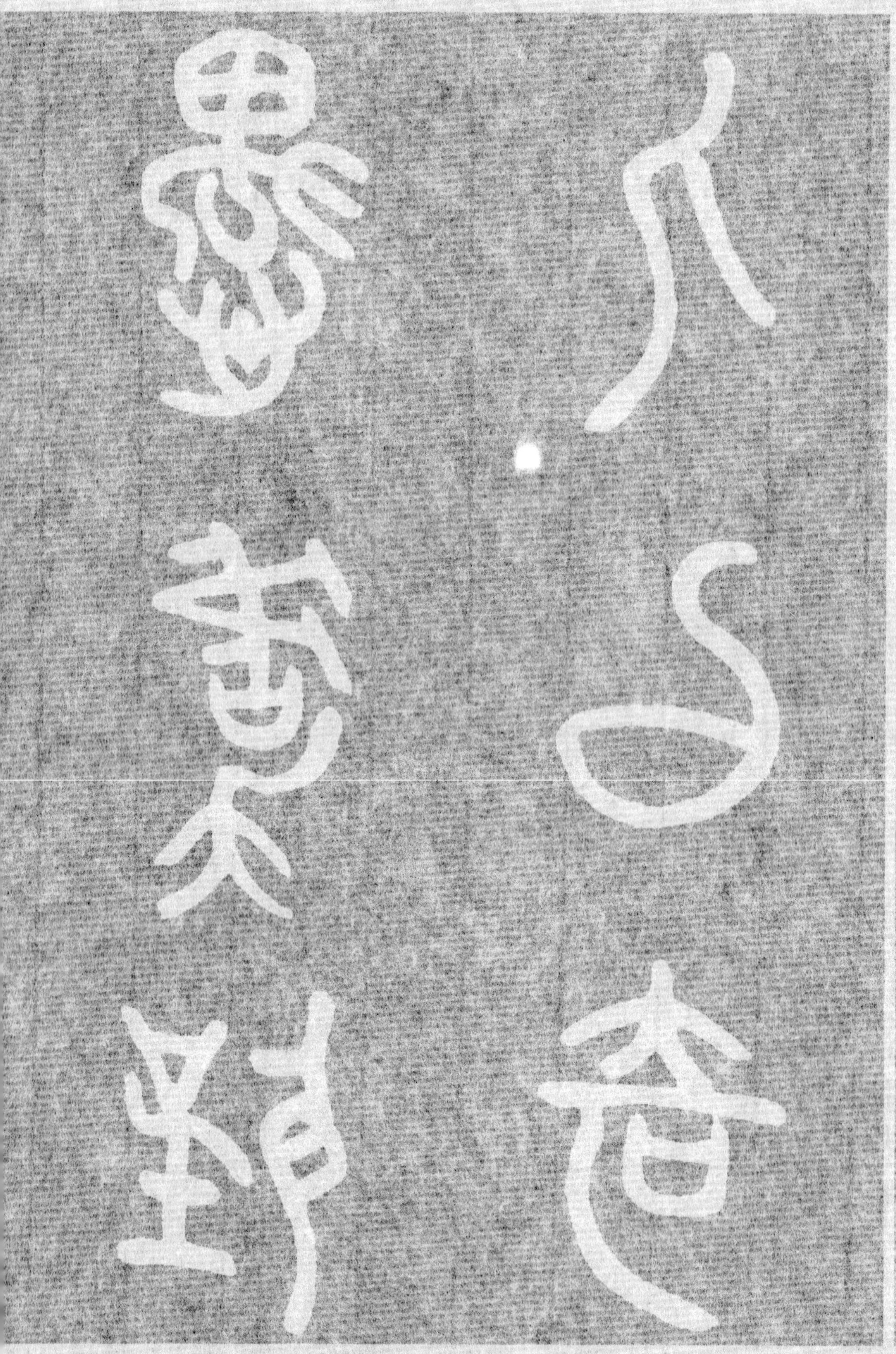

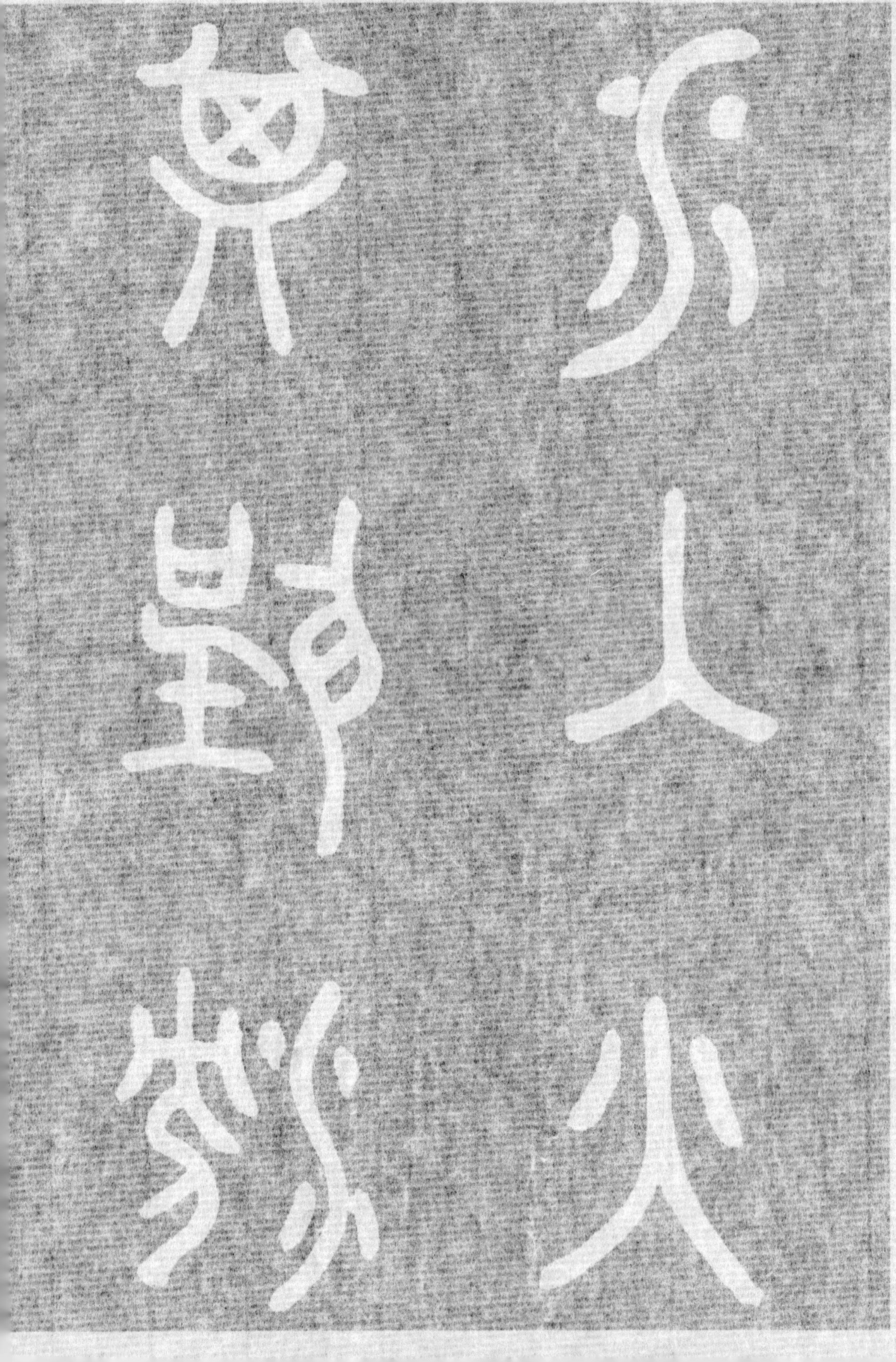

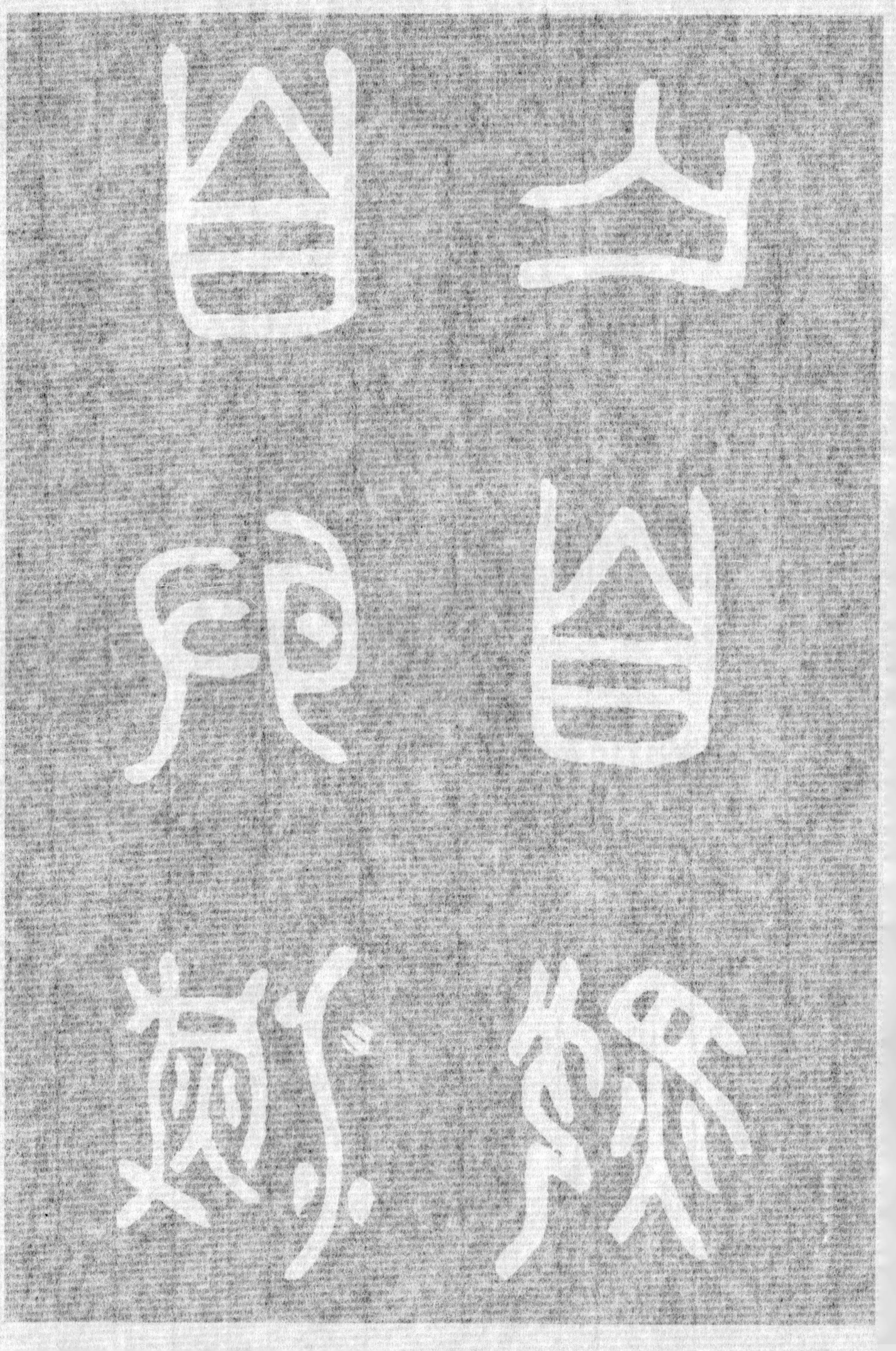

從石鼓文集字集

創林墅
創林墅

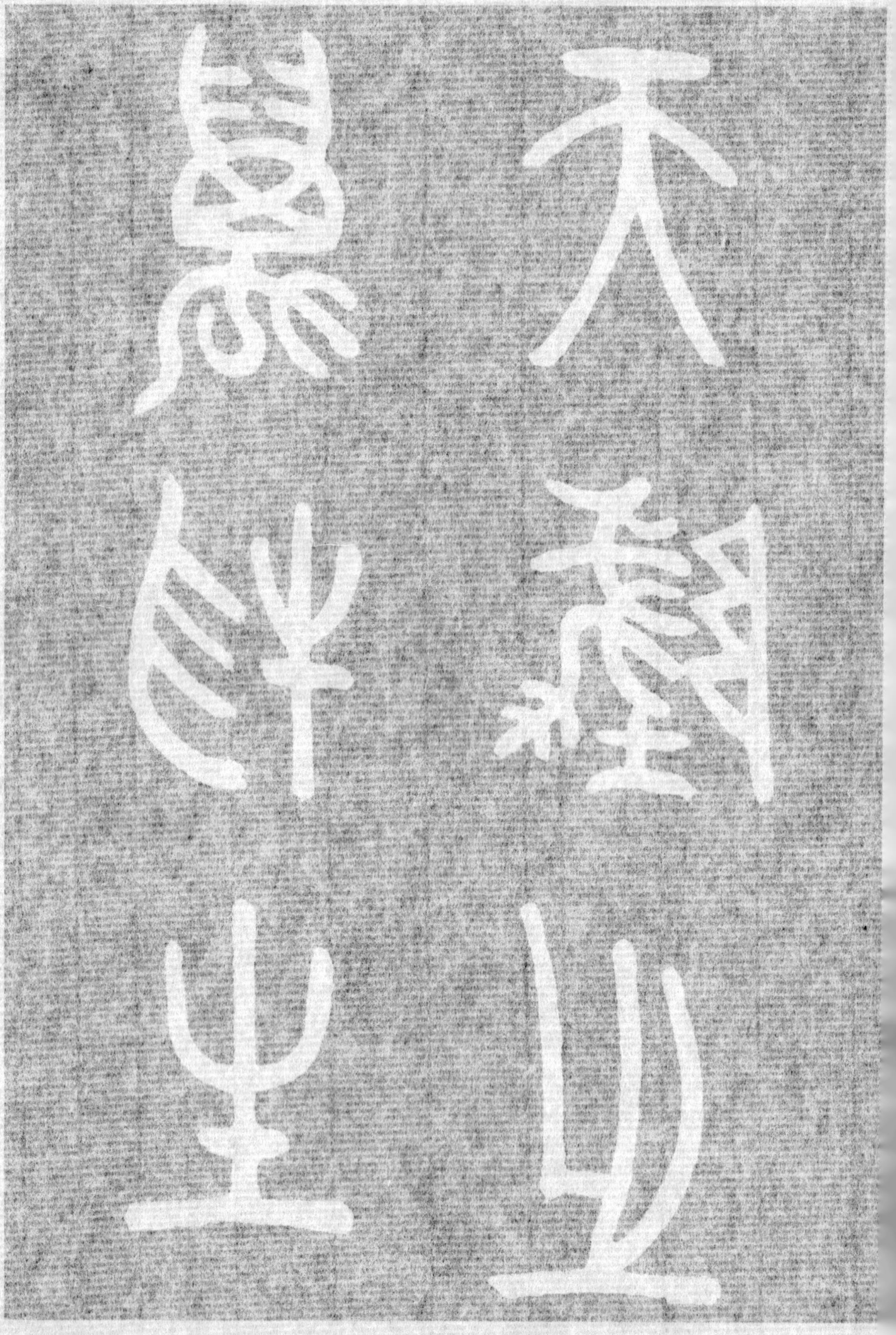

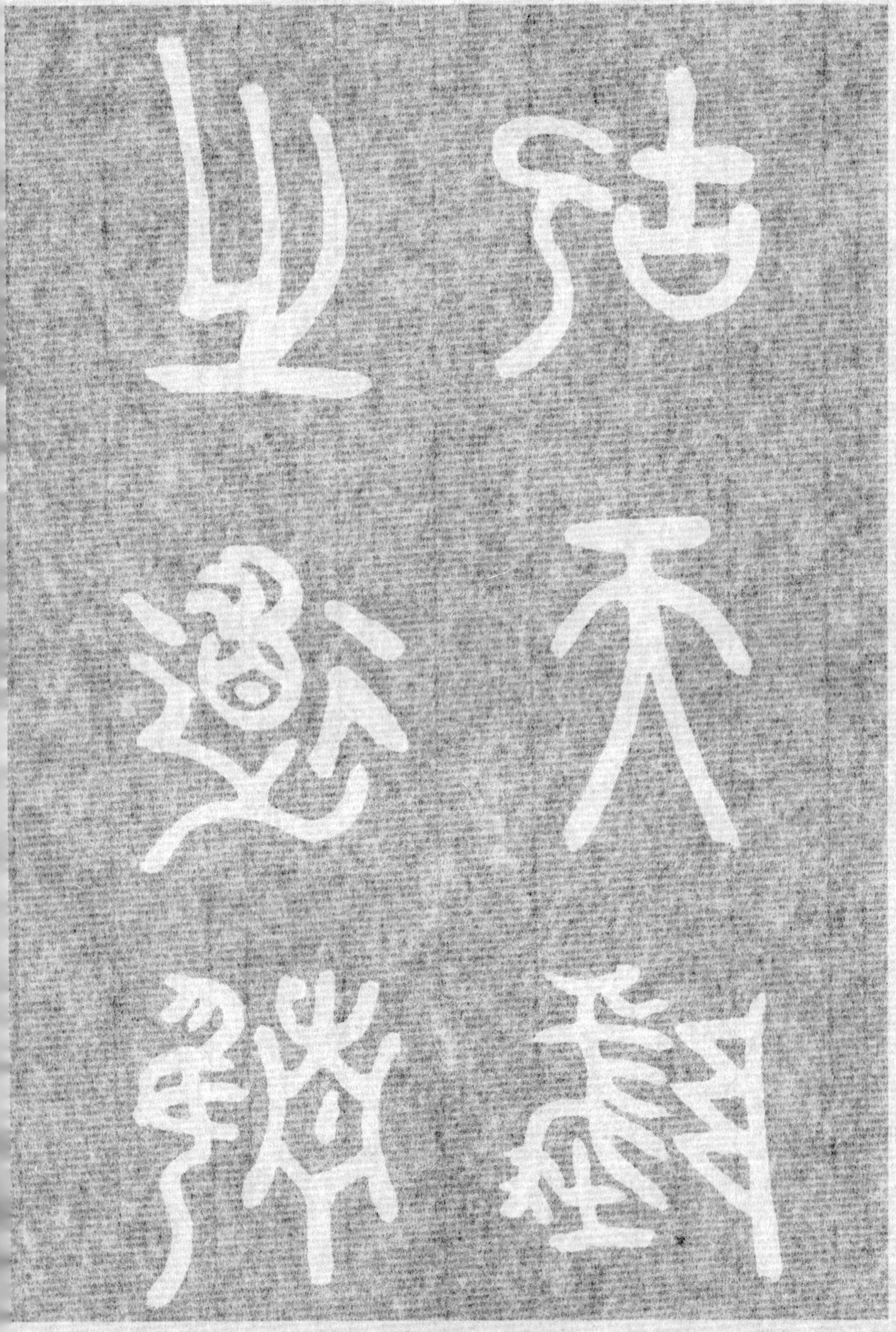

道浸故
陰陽勝

陰陽相
推而變

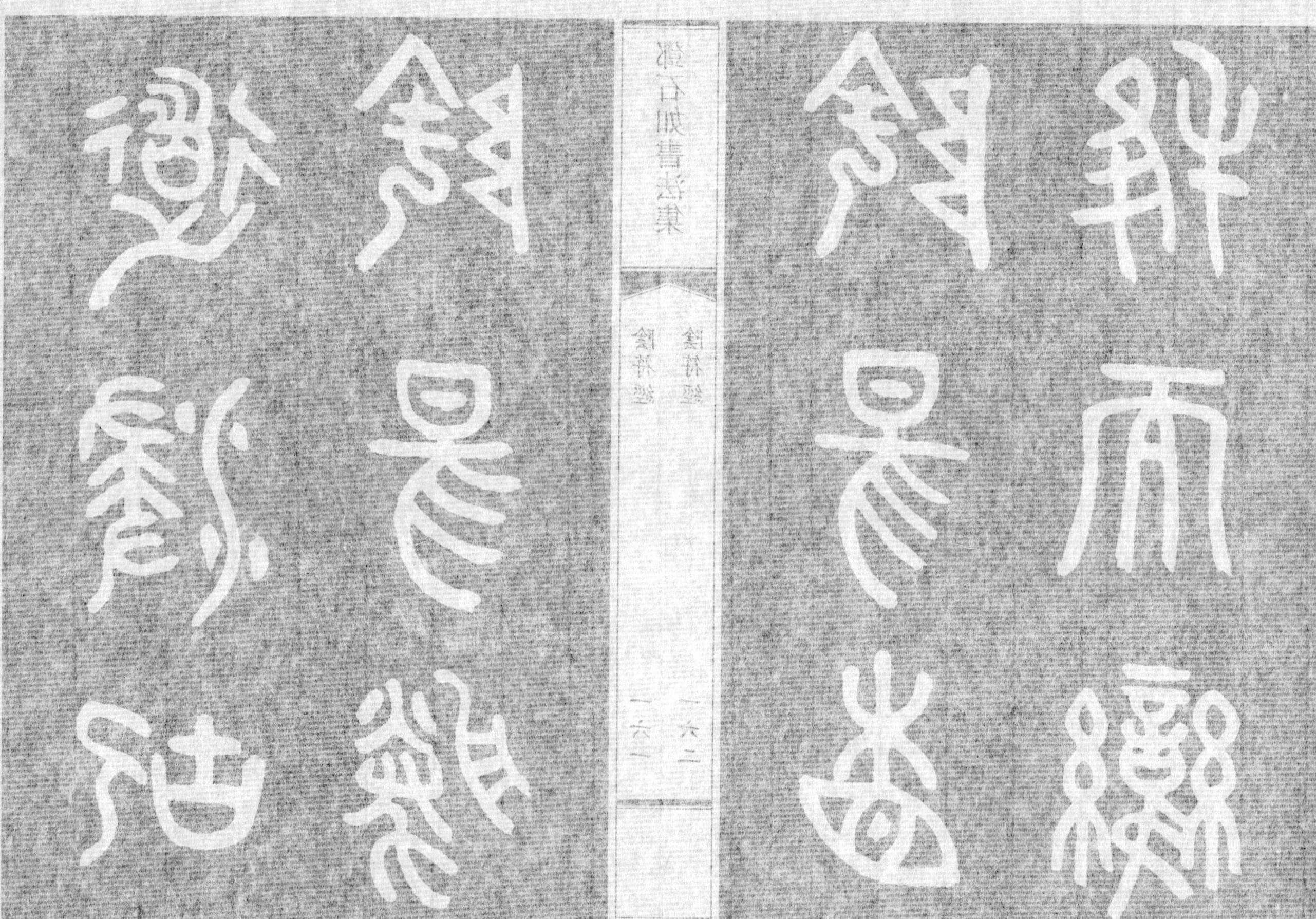

陰符經

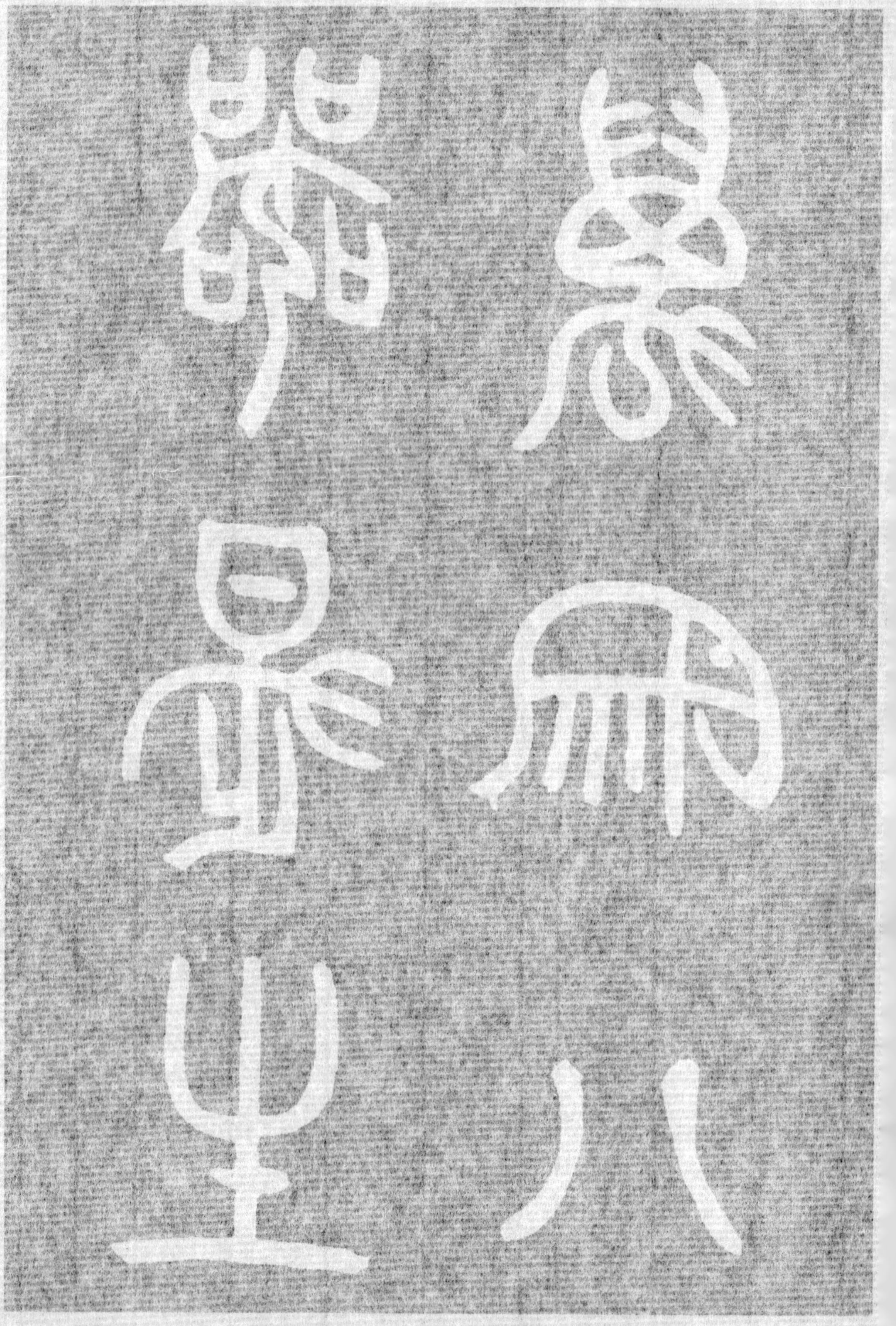

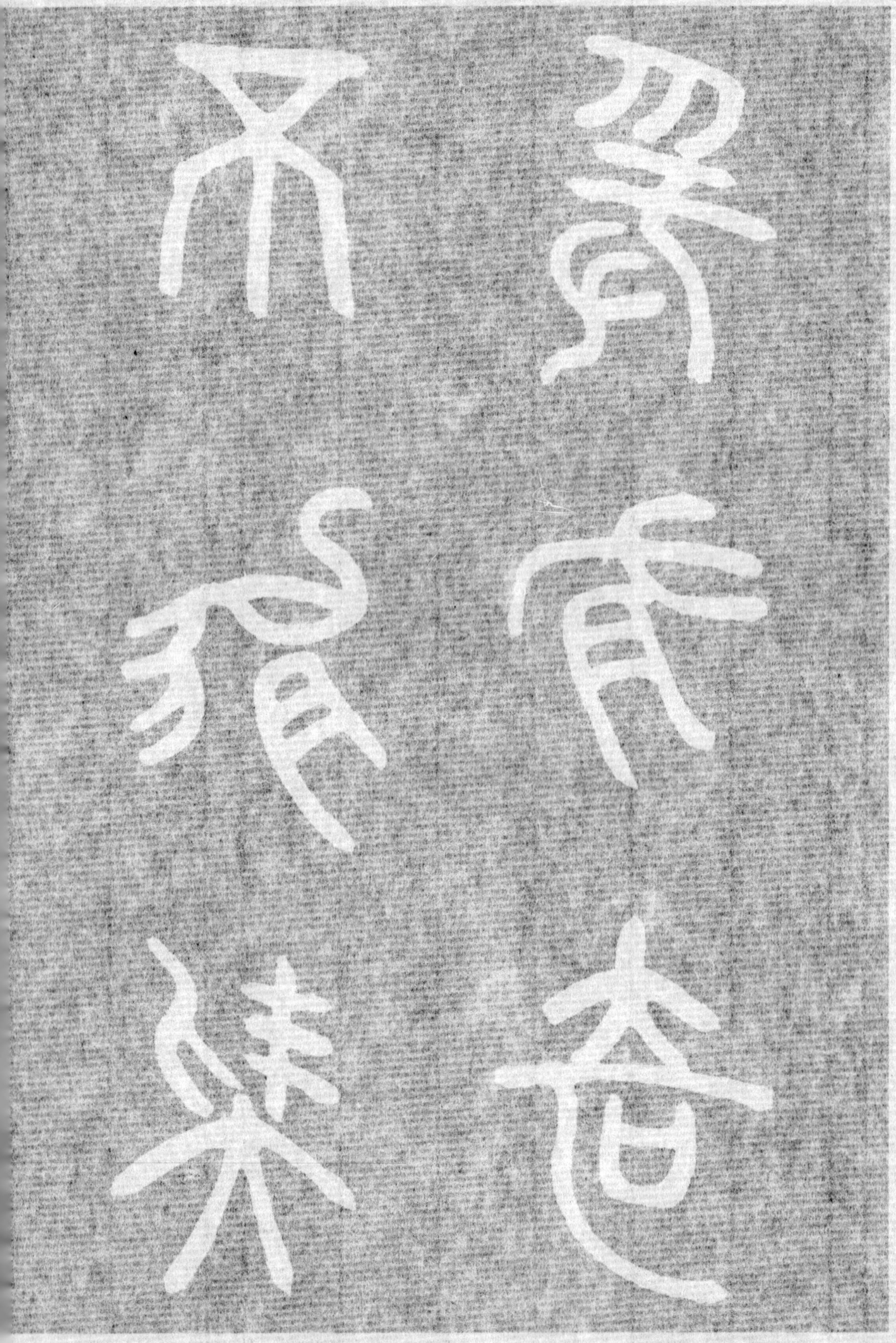

卦甲子
神機鬼

藏陰陽
相勝之

攈古咸昔吉粟集

篆林集

篆林集

一七○

一六九

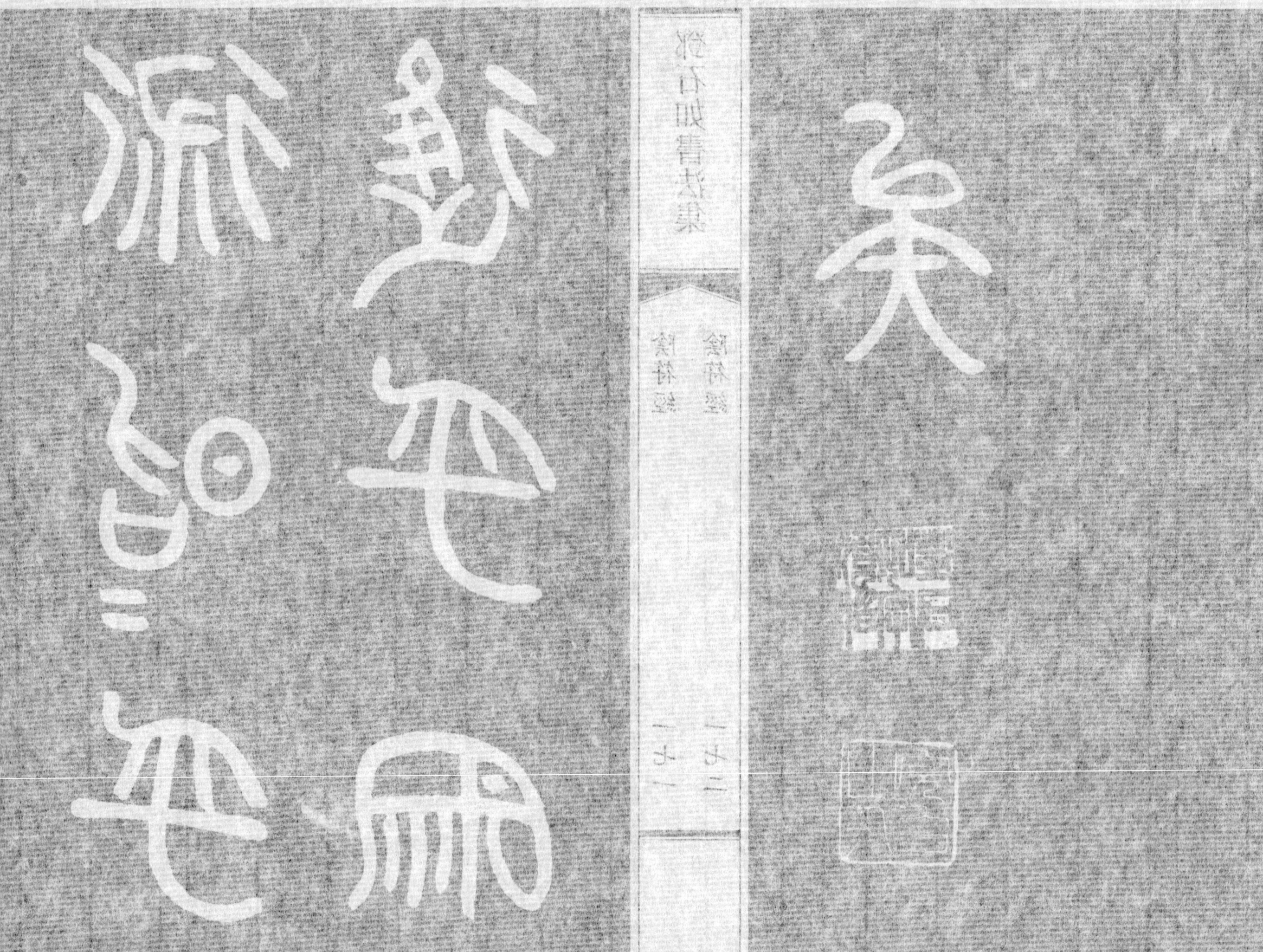